A magia do atendimento

Lee Cockerell

A magia do atendimento

As 39 regras essenciais
para garantir serviços excepcionais

Benvirá

Copyright © Lee Cockerell, 2013

Traduzido de The customer rules, de Lee Cockerell.
Tradução autorizada da edição original em inglês publicada nos Estados Unidos pela Crown Publishing Group, uma divisão da Random House.

Tradução Cristina Yamagami
Arte e produção Crayon Editorial
Capa Aero Comunicação
Impressão e acabamento Bartira

CIP-BRASIL. Catalogação na fonte
Sindicato Nacional dos Editores de Livros, RJ.

C595m

Cockerell, Lee
 A magia do atendimento : as 39 regras essenciais para garantir serviços excepcionais / Lee Cockerell ; tradução Cristina Yamagami. – 1. ed. – São Paulo : Saraiva, 2013.
 216p. ; 21 cm.

Tradução de: *The customer rules : the 39 essencial rules for delivering sensational service*
 ISBN 978-85-02-20481-2

 1. Serviços ao cliente. 2. Serviços ao cliente – Administração. 3. Liderança. I. Título. II. Título: as trinta e nove regras essenciais para garantir serviços excepcionais

13-00765   CDD-658.812
                        CDU-658.814

1ª edição, 2013 | 7ª tiragem, abril de 2024

Nenhuma parte desta publicação poderá ser reproduzida por qualquer meio ou forma sem a prévia autorização da Saraiva Educação. A violação dos direitos autorais é crime estabelecido na lei n. 9.610/98 e punido pelo artigo 184 do Código Penal.

Todos os direitos reservados à Benvirá, um selo da Saraiva Educação.
Av. Paulista, 901 – 4º andar
Bela Vista – São Paulo – SP – CEP: 01311-100

SAC: sac.sets@saraivaeducacao.com.br

CÓDIGO DA OBRA 8503   CL 650257   CAE 573104

Para Priscilla

Sumário

INTRODUÇÃO	Seja bonzinho!	9
REGRA 1	O atendimento ao cliente não é um departamento	15
REGRA 2	Um cliente é conquistado por vez e mil são perdidos de uma vez só	19
REGRA 3	O excelente atendimento segue a lei da gravidade	23
REGRA 4	Não ignore os pequenos detalhes	27
REGRA 5	O que a sua mãe faria?	33
REGRA 6	Seja um ecologista	39
REGRA 7	Mantenha-se alinhado	43
REGRA 8	Seja profissional	47
REGRA 9	Contrate o melhor elenco	53
REGRA 10	Seja o seu próprio Shakespeare	59
REGRA 11	Seja um *expert* na criação de *experts*	65
REGRA 12	Ensaie sempre	71
REGRA 13	Exija mais para conseguir mais	75
REGRA 14	Trate os clientes como trata as pessoas que ama	79

REGRA 15	Seja como uma abelha	87
REGRA 16	Saiba a verdade, toda a verdade e nada mais que a verdade	93
REGRA 17	Ouça com atenção	99
REGRA 18	Não tenha vergonha de imitar	105
REGRA 19	Pesque onde os pescadores não estão	111
REGRA 20	Lapide as palavras	115
REGRA 21	Fique sempre à disposição	119
REGRA 22	Seja sempre aquele que dá e não aquele que recebe	125
REGRA 23	Se eles pedirem um cavalo, dê um carro	131
REGRA 24	Não se limite a fazer promessas, dê garantias	135
REGRA 25	Trate todo cliente como se fosse um cliente fiel	141
REGRA 26	Concentre-se no que é importante agora	145
REGRA 27	Faça do "assim que possível" o seu prazo de entrega padrão	149
REGRA 28	Saiba a diferença entre necessidades e desejos	153
REGRA 29	É sempre bom ter um *geek* na sua equipe	159
REGRA 30	Seja implacável ao lidar com os detalhes	163
REGRA 31	Seja confiável	169
REGRA 32	Não delegue responsabilidade sem dar autoridade	173
REGRA 33	Jamais discuta com um cliente	177
REGRA 34	Nunca diga não — exceto em "não tem problema"	185
REGRA 35	Seja flexível	191
REGRA 36	Peça desculpas do fundo do coração	195
REGRA 37	Surpreenda-os com algo a mais	199
REGRA 38	Melhore sempre	205
REGRA 39	Não se esforce demais	207

PARA SABER MAIS	211
REFERÊNCIAS	213
AGRADECIMENTOS	215

Introdução
Seja bonzinho!

Um dia desses, em um encontro de família na minha casa, os adultos estavam entretidos contando histórias sobre empresas que proporcionam ou não um bom atendimento ao cliente. Por curiosidade, perguntei à minha neta Margot, então com 12 anos, quais seriam, na opinião dela, as regras mais importantes para um excelente atendimento. Sem hesitar, ela disse:

— Vovô, a primeira regra é: "Seja bonzinho"!

Tanta sabedoria vinda da boca de uma criança! Passei toda a minha vida adulta refletindo sobre atendimento, desde os bicos que fiz na adolescência, trabalhando em uma farmácia e na madeireira de uma cidadezinha do estado de Oklahoma, até a minha última posição corporativa como vice-presidente executivo de operações do Walt Disney World, onde supervisionei uma força de trabalho de 40 mil pessoas, *resorts* com mais de 30 mil quartos, quatro parques temáticos, dois parques aquáticos, cinco campos de golfe, uma vila de compras, um complexo de entretenimento noturno, um complexo esportivo e recreativo, entre outras operações. Ao longo da minha carreira, trabalhei em cargos como cozinheiro do exército, garçom de banquetes, almoxarife de alimentos e bebidas, diretor de alimentos e bebidas dos Hilton Hotels (incluindo o Waldorf-Astoria), gerente do restaurante de um Marriott, gerente geral de um hotel da Marriott e executivo sênior da Disney em Paris e Orlando.

No decorrer de mais de 40 anos no setor hoteleiro, nunca deixei de procurar maneiras de melhorar o atendimento aos clientes. No entanto, apesar de todas as lições vitais que aprendi ao longo dos anos com a prática, com colegas brilhantes e com excelentes mentores, nunca ouvi a verdade essencial sobre o atendimento expressa de modo tão sucinto e com tanta precisão quanto aquelas duas palavras de Margot.

"Seja bonzinho" diz tudo. Procure no dicionário a palavra "gentil" — minha tradução de "bonzinho" para o vocabulário adulto — e encontrará termos como *afável*, *agradável*, *amistoso*, *educado*, *cortês*, *deferente*, *polido*, *respeitoso*, *solícito* e *esmerado*. Quem não gostaria de estar cercado de qualidades como essas ao fazer negócios? A primeira palavra da resposta de Margot, "seja", do verbo *ser*, também é extremamente profunda. Ao refletir sobre essa sábia resposta, percebi que um excelente atendimento não é resultado só do que *fazemos*, mas também de quem *somos*. Você pode ter as melhores políticas e os melhores programas de treinamento e procedimentos do mundo, mas, se as pessoas que incumbir de executá-los não tiverem as qualidades necessárias, pode esquecer. Não me entenda mal, o que você *faz* também é vital, e muitas das Regras de Atendimento que apresento neste livro se referem justamente a isso: o que você faz e como faz. Mas o *ser* precede o *fazer*, e a qualidade do "ser" de uma pessoa — sua atitude, personalidade, conduta e outras características — é crucial para possibilitar um atendimento diferenciado. Nas palavras da consultora de varejo Liz Tahir: "A qualidade do atendimento ao cliente não tem como exceder a qualidade das pessoas que o proporcionam". Os dois aspectos de um excelente atendimento, ser e fazer, são explicados neste livro.

Pense assim: digamos que você seja um cliente e o funcionário que o atende faz tudo de acordo com as regras da empresa e conclui a transação com eficiência e de maneira satisfatória, mas é frio, desinteressado, condescendente e não vê a hora de se livrar logo de você. Agora, imagine ser atendido por alguém que comete um erro, mas se desculpa com elegância, corrige o problema e o trata com cortesia e respeito, claramente feliz em atendê-lo. A qual empresa você voltaria?

Esta obra é um complemento perfeito para o meu primeiro livro, *Criando magia*. Enquanto *Criando magia* foi escrito para líderes e aspirantes a líderes, este livro se volta a qualquer pessoa, dos mais altos escalões da administração até as tropas da linha de frente que interagem diretamente com os clientes. O livro será útil não só para representantes de atendimento ao cliente, mas também para vendedores e atendentes, analistas de suporte técnico e técnicos de campo, recepcionistas e funcionários de guichês de atendimento e bilheterias, entregadores e zeladores e até banqueiros de investimento, advogados, professores, médicos, enfermeiros e outros profissionais. Em *Criando magia*, vimos que qualquer pessoa em qualquer desses níveis pode exercer a liderança.

Mas os líderes só podem exercer sua função se tiverem pelo menos um seguidor. No entanto, qualquer funcionário de uma empresa pode — e deve — se encarregar de servir os clientes da organização, seja pessoalmente, por telefone ou pela internet, no escritório de um gestor ou na sala de reunião da diretoria.

Este livro se concentra totalmente na meta mais importante de todas: ajudar o leitor, qualquer que seja a sua posição ou cargo na empresa, a servir os clientes com tal uniformidade, integridade, criatividade e sinceridade que eles não apenas voltarão como também recomendarão efusivamente a sua empresa aos amigos, parentes e colegas.

Para escrever este livro, usei tudo o que aprendi desde a época em que trabalhei como um prestador de serviços na linha de frente até os anos em que passei atuando como um alto executivo em empresas internacionalmente reconhecidas pela qualidade do atendimento. Também recorri à minha experiência como um consumidor, marcada pelo velho hábito de observar como algumas empresas prestam um excelente atendimento enquanto outras tropeçam nessa tarefa básica. O resultado final são 39 regras essenciais e fáceis de seguir para melhorar o atendimento em todas as áreas das operações de uma empresa. Se você interage diretamente com os clientes, vai aprender como prestar o tipo de atendimento diferenciado que fará com que a sua empresa o veja como um ativo indispensável.

Se você for um gestor ou um executivo, aprenderá como elaborar procedimentos e políticas orientadas ao atendimento e como contratar, orientar e treinar funcionários que conquistarão para a sua equipe ou empresa o impulsionador de receitas mais valioso que vocês poderiam esperar: ser reconhecido pelo atendimento diferenciado.

Os princípios revelados neste livro se aplicam a qualquer setor e a qualquer empresa, grande ou pequena, de capital aberto ou fechado, com ou sem fins lucrativos. Eles se provaram eficazes tanto em corporações multinacionais, como a Disney e a Marriott, quanto em lojas de bairro e varejistas *on-line*. Eles são igualmente eficazes com produtos de alta tecnologia, como um *tablet*, com produtos complexos, como a assistência médica, ou com produtos básicos, como sapatos ou café. As regras são apresentadas em capítulos concisos para que você possa ler cada uma delas ou mais de uma em questão de minutos, absorver suas lições fundamentais e aplicá-las imediatamente.

No fim das contas, tudo o que um líder corporativo faz visa melhorar o atendimento ao cliente. Sempre foi assim e, com base nas tendências atuais, o atendimento ao cliente será ainda mais crucial para o sucesso das empresas nos próximos anos. No mercado altamente competitivo dos dias de hoje, uma empresa precisa de mais do que excelentes produtos, boa assistência técnica, procedimentos eficientes e preços mais competitivos para conquistar os clientes. Ela também precisa se conectar verdadeiramente com seus consumidores por meio de interações autênticas e humanas que satisfaçam não apenas as necessidades práticas dos clientes como também seus desejos emocionais. "O advento da competitividade global, o maior acesso dos clientes a informações confiáveis e sua nova capacidade de se comunicar uns com os outros por meio das redes sociais colocaram o cliente no comando", escreve Stephen Denning, autor de *The Leader's Guide to Radical Management*. "Essa mudança vai além de prestar mais atenção ao atendimento ao cliente e deve orientar tudo e todos para proporcionar mais valor aos clientes o mais rápido possível".

Denning está certíssimo quando chama o período atual de "a era do capitalismo do cliente". Nos dias de hoje, o poder foi transferido do vendedor ao comprador. Não se iluda achando que essa ideia não passa de um lugar-comum. Os seus clientes são a sua única fonte de receita e lucro; sem eles, a sua empresa fecharia as portas e você ficaria sem emprego. Se seguir as regras apresentadas neste livro, você vai se beneficiar ao mesmo tempo que os seus clientes e os seus resultados financeiros. Até a minha neta de 12 anos sabe disso.

REGRA 1

O atendimento ao cliente não é um departamento

Se tem uma coisa que aprendi nos mais de 40 anos de experiência no mundo dos negócios é que o atendimento ao cliente é mais do que um departamento ou um balcão ao qual eles levam problemas e reclamações. O atendimento ao cliente também não é um site na internet, um número de telefone ou uma opção oferecida em um sistema de atendimento telefônico automatizado. Nem é uma tarefa ou um dever. O atendimento ao cliente é uma *responsabilidade pessoal*. E não é uma responsabilidade só das pessoas chamadas de representantes de atendimento ao cliente, mas de todas as pessoas da organização, desde o CEO até o funcionário de linha de frente do cargo mais baixo e com o menor tempo na empresa. Na verdade, todas as pessoas da empresa devem ser vistas como representantes de atendimento ao cliente, pois, de uma forma ou de outra, cada uma delas afeta a qualidade da experiência do cliente e é responsável por ela. Mesmo se você nunca viu ou falou com um cliente (ou cliente potencial), precisa tratar todas as pessoas com quem interage — fornecedores, credores, clientes internos e assim por diante — com sinceridade e respeito. Pode acreditar, o modo como você os trata acabará se refletindo no consumidor final.

Um excelente atendimento impulsiona os resultados financeiros do negócio. Pode parecer simples, mas vivo encontrando executivos que não entendem isso. Eles dizem coisas como: "Estou no negócio de *commodities*, o que importa é o produto". Eu lhes digo que, de fato, *precisam* ter um excelente produto, porque nem o atendimento mais extraordinário do mundo seria capaz de compensar um produto ruim. Mas depois explico que, a menos que o produto seja o único do tipo no planeta, a boa qualidade, por si só, não vai garantir os lucros no longo prazo. Já foi demonstrado, vez após vez, que o atendimento ao cliente é a melhor maneira de distinguir uma empresa ou organização espetacular de seus concorrentes. Vamos encarar: não importa qual seja o seu negócio ou setor, provavelmente alguém já está oferecendo mais ou menos o mesmo produto ou serviço que você. Mas, oferecendo o mesmo produto *e também* um atendimento personalizado e autêntico, você terá uma vantagem. Não importa qual seja o seu negócio, um excelente atendimento é uma vantagem competitiva que custa pouco ou nada, mas agrega um enorme valor para o seu cliente. E é uma vantagem que você não pode se dar ao luxo de ignorar, porque no mercado altamente competitivo dos dias de hoje os seus clientes o abandonarão sem pestanejar se o seu atendimento não estiver à altura. Não sou só eu que estou dizendo isso; basta dar uma olhada nas pesquisas.

Em um estudo, os pesquisadores perguntaram aos clientes por que eles deixariam de fazer negócios com uma empresa.

Quarenta e três por cento indicaram "experiência negativa com um funcionário" como a principal razão para levar seu dinheiro a outra empresa e 30% afirmaram que abandonariam a empresa por não se sentirem valorizados por ela.

O que quero dizer é que a maioria das pessoas já *espera* produtos e serviços de qualidade. Esse já é o mínimo múltiplo comum. Mas, se a sua empresa oferecer às pessoas os produtos ou serviços que elas querem *mais* um atendimento que excede as expectativas, você se sairá com uma combinação imbatível, que a sua concorrência terá muita dificuldade de imitar. Os serviços que você presta e seu *atendimento ao cliente* são duas coisas diferentes; cuidado para não confundir os dois. É pelos serviços que os clientes procuram a sua empresa e a pagam. Já o atendimento ao cliente envolve a experiência como um todo, desde o momento em que uma pessoa entra no seu site ou pela porta da loja até o momento em que ela sai. É o atendimento ao cliente que imbui a transação de um toque de humanidade. Alguns sujeitos focados em números ridicularizam a noção do fator humano. Porém, como aprendi ao longo de décadas trabalhando em algumas das empresas mais lucrativas do mundo, o elemento emocional é tão importante quanto o dinheiro que troca de mãos — e até *mais* importante. É por isso que o atendimento ao cliente deve ser prestado não apenas com competência, mas também com respeito, sinceridade e interesse.

Alguns gestores e executivos torcem o nariz para a ideia do atendimento. Eles acreditam que se trata de uma noção abstrata demais e uma perda de tempo para alguém na posição deles, ocupados com todas as decisões que têm de tomar, todos os resultados financeiros que têm de atingir e toda a pressão dos concorrentes com a qual têm de lidar. Criar produtos melhores, desenvolver novas campanhas publicitárias, ser o primeiro a lançar novas tecnologias ou a entrar em novos mercados — são essas as atividades que parecem mais atraentes a esses gestores e executivos. É com esses aspectos do negócio que eles se empolgam. Para eles, o atendimento ao cliente não passa de um departamento — algo que eles podem simplesmente delegar a funcionários agradáveis com bom trato com as pessoas. Eles não poderiam estar mais enganados.

É por isso que *todas as pessoas* de uma empresa deveriam ser consideradas uma parte do departamento de atendimento ao cliente. Vários anos atrás, quando eu era o encarregado das operações da Disney World, alteramos a designação do cargo dos nossos gerentes de linha de frente para "gerente de atendimento ao visitante" e pedimos que eles saíssem do escritório e passassem 80% do expediente nas operações, dando assistência aos seus colaboradores. Da noite para o dia, nossos índices de satisfação do visitante decolaram. Então, não importa se você é o CEO da sua empresa, um gerente de nível médio ou o chefe de um pequeno departamento, atribua aos membros da sua equipe — e a si mesmo! — responsabilidades e cargos que reflitam a função essencial de agradar o cliente.

Um excelente atendimento não sai mais caro do que um atendimento medíocre ou insatisfatório, mas os retornos são espetaculares. Dessa forma, invista no compromisso da sua empresa com o atendimento incorporando-o à descrição de cargo de todos os funcionários e adotando-o como um importante orientador para toda a sua operação.

REGRA 2

Um cliente é conquistado por vez e mil são perdidos de uma vez só

Um antigo ditado no mundo dos negócios diz que basta uma vez para conquistar ou perder um cliente. Esse velho provérbio está obsoleto. Na era da mídia social, é fácil perder clientes aos milhares — até aos milhões — de uma só vez. Agora, com apenas alguns toques no teclado, um cliente infeliz, frustrado ou irritado pode convencer todos os seus contatos de e-mail, todos os seus amigos no Facebook e todas as pessoas que leem seu blog ou o seguem no Twitter a não fazer mais negócios com a sua empresa. Ele pode usar um *smartphone* para expressar sua indignação e postar um vídeo no YouTube com recursos gráficos chamativos. Com um pouco de criatividade, ele até pode dar uma de Michael Moore e filmar um minidocumentário, incluindo trilha sonora, efeitos especiais e sonoros, gerando um *buzz* viral intenso o suficiente para causar sérios danos à sua empresa. Uma grande companhia aérea constatou isso a duras penas, quando cobrou dos soldados norte-americanos que voltavam do Afeganistão as taxas por excesso de bagagem. Os soldados filmaram o incidente e postaram o vídeo no YouTube. Em um dia, a companhia aérea já tinha recebido milhares de reclamações e foi forçada a voltar atrás.

É verdade que clientes satisfeitos também podem divulgar o que eles *gostam* em uma empresa. Mas será que eles se dariam ao trabalho? Talvez, se eles ficarem verdadeiramente encantados com a sua empresa. Mas clientes furiosos são muito mais motivados a expressar seus sentimentos e críticas furiosas e recebem muito mais atenção do que depoimentos entusiásticos. O cérebro dos seres humanos é configurado para prestar mais atenção ao negativo do que ao positivo — trata-se de um mecanismo evolucionário desenvolvido para nos manter seguros do perigo. É por isso que os motoristas desaceleram para olhar acidentes no trânsito e não para admirar bons samaritanos ajudando um motorista a trocar o pneu furado. É por isso que tendemos a nos lembrar muito mais de advertências do que de recomendações. Isso está no nosso DNA.

Posso atestar essa dinâmica com base na minha experiência. Vejo exemplos de bom atendimento o tempo todo, mas nem sempre me dou ao trabalho de me expressar a respeito. No entanto, quando uma companhia aérea negou incisivamente uma solicitação razoável da minha parte, eu rapidamente postei uma descrição detalhada da experiência no meu blog.

Eis o que aconteceu: eu tinha decidido aliar algumas palestras às minhas férias com minha esposa, meu filho, minha cunhada e meus três netos. O plano de viagem envolvia voar de Orlando a Boston, depois para Paris e de Paris para Johannesburgo, na África do Sul, antes de voltarmos a Orlando. Fiz as reservas na companhia aérea — e posso dizer que não saiu barato. Mais ou menos um mês antes da viagem, recebi um convite interessantíssimo para ministrar uma palestra em Boston. Para conciliar o convite, eu só precisaria fazer uma pequena mudança nas reservas. Então liguei para a companhia aérea e disse ao representante de vendas que queria cancelar a minha passagem para o trecho de Orlando a Boston e embarcar no voo de Boston a Paris com a minha reserva. Só isso. Não pedi meu dinheiro de volta pelo trecho que eu não usaria. Não pedi para mudar nenhuma das outras seis reservas. Eu só queria *não* embarcar em um dos voos. Eu estava até disposto a pagar mais, porque o preço das passagens tinha aumentado em comparação com a data em que fechei a compra. Mas a resposta foi um simples e enfático "não". Conversei com vários representantes de atendimento e tudo o que ouvi foi um coro de "nãos". Por quê? Porque é a política deles. Não é possível mudar *nada*. "Se o senhor não estiver no voo de Orlando a Boston, cancelaremos o restante da sua reserva", eles me informaram. Em outras palavras, eu tinha uma escolha: recusar o convite para a palestra ou cancelar minhas férias inteiras. É difícil imaginar uma política mais estúpida ou uma resposta mais contraproducente a uma solicitação. Agora eu só viajo com essa companhia aérea se não tiver outra opção, apesar de ter acumulado tantas milhas com eles que ganho *upgrades* com frequência. Mas o *upgrade* não passa de mais um dos serviços que eles oferecem, como o *check-in* pela internet. Eles parecem desconhecer a diferença entre serviços como esses e um atendimento ao cliente respeitoso e competente com um toque de humanidade.

Do jeito que posso, envio àquela companhia aérea a mensagem de que o atendimento inferior acaba lhe custando muito caro. Eu conto essa história em palestras e *workshops*, muitas vezes em contraste com histórias felizes viajando com outras companhias aéreas que prestam repetidamente um excelente atendimento ao cliente.

O que quero dizer é que, a cada vez que um cliente entra em contato com a sua empresa, seja pessoalmente, por telefone ou no seu site, é a hora da verdade. A sua reputação está prestes a melhorar ou piorar. Se você fizer alguma coisa para irritar o cliente nessa hora da verdade, pode apostar que você não perderá apenas ele. Faça algo para agregar valor nessa hora e o cliente vai querer voltar e falar sobre a experiência em tom elogioso com os conhecidos. Faça algo que agregue *muito* valor e o cliente pode ficar tão impressionado com o seu atendimento sincero, atencioso, cordial e criativo que ele irá correndo ao computador para divulgar a notícia ao mundo. Clientes satisfeitos são o melhor *staff* de marketing que você pode ter. São eles, e não os seus anúncios, os seus maiores mensageiros. Se o atendimento daquela companhia aérea fosse tão bom quanto os comerciais da empresa, eu continuaria sendo um cliente feliz.

REGRA 3

O excelente atendimento segue a lei da gravidade

É uma simples lei da natureza: o espírito do atendimento começa no topo e, de lá, ele vai descendo por todos os níveis da organização. Não é um mero efeito *trickle-down*, que você também pode conhecer como "efeito de gotejamento": ele flui com rapidez e segurança, mais como uma cachoeira do que como uma torneira.

Sempre que você vê um atendimento verdadeiramente espetacular, seja no café do seu bairro ou em uma rede global de *fast-food*, em uma pequena empresa de serviços financeiros ou em um banco multinacional, em uma clínica rural ou em um gigantesco hospital de cidade grande, pode apostar que uma pessoa do alto escalão fez do atendimento ao cliente uma parte integrante de sua estratégia. Isso só acontecerá se as pessoas do topo da organização, divisão ou departamento se dedicarem a desenvolver e manter um atendimento diferenciado. Para isso, elas precisam criar as políticas certas, alocar os recursos necessários, decidir as prioridades apropriadas e estabelecer o tom certo na organização. Os melhores líderes também atuam como exemplos a serem seguidos, demonstrando os atributos de um excelente atendimento em cada palavra, ação e comunicação — não apenas com os clientes, mas também com os fornecedores, colegas, colaboradores e todas as outras pessoas que afetam o modo como os negócios são feitos.

Na minha experiência, os líderes de empresas que *não* proporcionam um bom atendimento — empresas das quais os consumidores mais reclamam — costumam ter uma estratégia menos orientada às pessoas. Seu foco é em produtos, vendas, marketing e outras áreas. Essas áreas são vitais, é claro, mas, no mundo de hoje, elas não bastam para manter o sucesso no longo prazo. Os gestores precisam reconhecer que lucros sustentados dependem de sua capacidade de prestar um excelente atendimento de maneira uniforme e contínua para que os clientes continuem voltando e elogiando a organização.

Trabalhei em três empresas nas quais o atendimento sensacional gerava resultados espetaculares: o Hilton, a Marriott e a Disney. Nessas organizações, o espírito do atendimento fluía a partir do topo. No Walt Disney World, por exemplo, quando Judson Green, o presidente de parques e *resorts*, decidiu mudar radicalmente a cultura corporativa, ele se dirigiu a 7 mil gestores em Orlando e lhes disse exatamente o que queria que acontecesse. Depois ele foi para o parque da Califórnia, a Disneylândia e, em seguida, para a França e o Japão, e explicou a mesma visão a todos os funcionários. Na posição de uma pessoa que exerceu um importante papel na concepção e execução desse plano, posso dizer que o compromisso absoluto de

Judson com essa visão era contagiante — bem como o meu comprometimento e o de todos os outros líderes em todos os níveis e estágios da implementação. De forma lenta e segura, todas as pessoas da empresa aprenderam que não bastava ter os parques mais incríveis e o nome mais reconhecido nos setores de recreação e entretenimento. Os clientes também precisavam da satisfação emocional de serem tratados como as pessoas mais importantes do mundo. Esse complemento acabou se tornando basicamente a marca da Disney World.

Não importa qual seja o seu papel ou cargo na organização, você pode fazer muito mais do que imagina para promover o espírito do atendimento no seu departamento e na sua equipe. Sim, segundo a lei da gravidade do atendimento, o efeito de gotejamento começa no topo, mas o topo está onde *você* estiver. Se você for trabalhar toda manhã concentrado no atendimento ao cliente, ficará surpreso ao constatar o poder do seu exemplo e a rapidez com a qual a sua atitude contagiará as pessoas, tanto abaixo quanto acima de você. Lembre-se de que a melhor maneira de ensinar é pelo exemplo, e você está sendo observado a cada segundo do dia.

Alguns anos atrás li um livro intitulado *Leading out loud*, que me afetou profundamente. A premissa básica do livro é que grandes líderes falam em alto e bom som para indicar onde suas organizações devem se concentrar e o que se espera dos funcionários para atingir essas metas. É mais ou menos como criar filhos. Todos os pais sabem que precisam se expressar com firmeza vez após vez para garantir que os filhos entendam e adotem os valores, os comportamentos e os hábitos sociais certos.

Independentemente de a tarefa ser criar filhos para que eles cresçam com integridade e respeito por si mesmos e pelos outros ou inspirar colaboradores e colegas a atender os clientes com excelência, você precisa liderar com decisão. Todo mundo sairá ganhando: você, a sua equipe, os seus clientes e qualquer pessoa que tiver alguma participação nos seus resultados financeiros.

REGRA 4

Não ignore os pequenos detalhes

Já usei essa regra como tema de um *post* do meu blog. Escrevi sobre como você vai acordar um dia e perceber que os pequenos detalhes — como cultivar relacionamentos afetuosos e de confiança — na verdade são o que mais importa na vida. Recebi mais comentários sobre aquele *post* do que qualquer outra coisa que já publiquei na internet. A maioria das pessoas escreveu para me agradecer por lembrá-las da importância dos fundamentos e de como é fácil deixá-los de lado. As excelentes empresas e pessoas de sucesso se mantêm o tempo todo atentas aos fundamentos. Como os bons atletas, elas sabem que essa dominação faz toda a diferença entre o sucesso e o fracasso — não se pode querer ganhar um jogo com um gol de placa sem antes aprender a dominar a bola. No mundo dos negócios, é fácil descuidar dos aspectos aparentemente sem importância, mas que podem diferenciar a sua empresa da concorrência além de melhorar suas vendas, fidelizar seus clientes e impulsionar seus resultados financeiros. Por quê? *Porque, para os clientes, os pequenos detalhes fazem toda diferença.*

Vejamos, por exemplo, o conceito da hospitalidade. Nas palavras de Conrad Hilton, "Sempre foi e continua sendo nossa responsabilidade envolver o planeta com a luz e o calor da hospitalidade". Seria possível expressar o conceito em um nível mais fundamental que esse? A palavra grega para o termo "hospitalidade" é *philoxenia*, que significa, literalmente, "amor por estranhos". As pessoas hospitaleiras adoram proporcionar o conforto do lar a parentes, amigos e especialmente a estranhos. Elas têm o dom da sensibilidade e da cortesia, elas sabem como receber bem as pessoas e deixá-las à vontade. Os gregos antigos acreditavam que ser hospitaleiro com os estranhos era uma forma de agradar os deuses. Não sei quanto aos deuses, mas posso garantir que essa atitude sem dúvida agradará os seus clientes.

Para ter uma ideia da importância dos fundamentos, basta observar uma boa equipe de hospital em ação. Quando a minha esposa, Priscilla, ficou 64 dias internada no Orlando Regional Medical Center (Orlando Health) em 2008 e 2009, passei o tempo todo com ela. Um dia, notei que todos os enfermeiros desinfetavam meticulosamente as mãos ao entrar e sair do quarto. Parece óbvio, não é? O que poderia ser mais básico, especialmente em um hospital, do que lavar as mãos? (Quem de nós não cresceu com a mãe nos importunando para lavar as mãos o tempo todo?) Mas isso é importantíssimo porque, como você pode imaginar, o simples ato de lavar as mãos reduz acentuadamente os índices de infecção, o que ajuda os pacientes a se recuperar mais rapidamente e pode até salvar vidas. Pode parecer apenas um detalhe, mas os retornos são enormes: não só pacientes mais saudáveis e felizes, como também custos mais baixos para o hospital e as seguradoras de saúde.

Limpeza e divindade podem não andar necessariamente lado a lado, mas a limpeza é — ou pelo menos deveria ser — um fundamento em qualquer negócio. É claro que isso é especialmente verdadeiro se você operar um hotel, um restaurante ou qualquer outro lugar que serve comida; em relação à alimentação, esse pode ser o fundamento mais importante de todos. Mas a limpeza é essencial não importa qual seja o seu produto — pode ser apólices de seguro, espaço publicitário, consultoria jurídica ou qualquer outra coisa. Afinal, a qual empresa você acha que os clientes voltarão: aquela com um escritório impecavelmente limpo ou aquela com um espaço sujo e bagunçado? É por isso que Bill Marriott, para quem já trabalhei, costumava dizer: "Mantenha o ambiente limpo e cordial e todo o resto se arranja". Walt Disney dizia basicamente a mesma coisa. Chega a parecer simples demais para merecer menção, mas eles acertaram na mosca.

Junto com a limpeza vêm seus dois primos, a aparência pessoal e a higiene. Mais uma vez, não dá para ser mais elementar do que isso. Certifique-se de que todo mundo tenha uma boa aparência (e cheire bem!). Caso contrário, não deixe de ter uma conversa a respeito. Eu sei, ninguém gosta de falar sobre isso, mas, quanto mais você adiar, mais clientes o seu funcionário mal-ajambrado custará à empresa. Aposto que a sua mãe nunca teve problemas em dizer "Onde você pensa que vai vestido desse jeito?". Um gestor — ou até um colega — também não deveria deixar de dar esse tipo de toque. Naturalmente, cada empresa tem os próprios padrões de aparência pessoal e vestuário de acordo com a localização, a imagem da empresa e os costumes de sua clientela: ninguém espera que um vendedor de um brechó no Brooklyn se vista como um *concierge* do Four Seasons em Beverly Hills. A questão é que você deve se assegurar de que a sua aparência — e, se você for o chefe ou o gestor, a aparência dos seus funcionários — esteja de acordo com a imagem que você deseja projetar aos seus clientes.

Outro fundamento ao qual toda empresa deve atentar é uma comunicação clara. As suas habilidades de comunicação são vistas como uma medida do seu profissionalismo, de inteligência, preparação e caráter — todos fatores importantes na avaliação, consciente ou não, que o cliente faz da sua empresa. Acima de tudo, você e todas as pessoas da sua empresa devem ser capazes de se comunicar com clareza com os clientes, tanto oralmente quanto por escrito. A clareza é essencial para a comunicação — quem se comunica com clareza não deixa espaço para mal-entendidos.

Um dos fundamentos mais essenciais da comunicação que muitas empresas negligenciam é que não basta se limitar a transmitir informações importantes; é preciso transmiti-las de maneira rápida e constante. A Southwest Airlines faz isso com uma eficácia excepcional. Não é raro ouvir um anúncio como este no sistema de alto-falantes da área de embarque da empresa: "O seu avião chegará cerca de 15 minutos atrasado, mas nos apressaremos para que o embarque não atrase". Ao manter os passageiros constantemente informados dos horários de partida, atrasos e alterações, eles reduzem o nível de ansiedade e demonstram que se importam com os clientes.

Veja outro exemplo de uma comunicação clara e constante: Manny, o agente de atendimento da minha concessionária de automóveis, está sempre disponível quando levo o meu carro para algum conserto ou revisão. Ele faz questão de me explicar todos os detalhes antes de realizar o serviço, se mantém em constante contato comigo enquanto o carro está sendo consertado e me informa do progresso dos reparos. Caso perceba que o serviço vai atrasar, ele me avisa imediatamente para que eu me programe de acordo. Em troca, eu recomendo a concessionária aos meus amigos e postei no meu blog uma mensagem sobre o excelente atendimento que recebo deles. Aposto que não sou o único. Envie rapidamente um e-mail ou mensagem de texto informando os clientes de qualquer mudança para que eles saibam que você se importa com eles.

Outro fundamento no qual todas as empresas devem focar é a consideração com o cliente. Não deixe de priorizar cada cliente individualmente e faça de tudo para tratá-los com atenção e consideração — e ensine isso às suas equipes, aos seus colaboradores e aos seus colegas. Em uma ocasião, quando levei o meu carro para a revisão, Manny me perguntou sobre o meu livro. Eu tinha ficado três meses sem ir lá, mas ele lembrou que eu estava escrevendo este livro e foi gentil o suficiente para me perguntar a respeito. Ele pode ter uma memória excelente ou pode manter um arquivo com detalhes sobre os clientes. De qualquer maneira, devo admitir que ele fez com que eu me sentisse especial quando me fez aquela pergunta — e é assim que você quer que *todos* os seus clientes se sintam.

Por fim, não se esqueça do conhecimento. Para proporcionar um excelente atendimento ao cliente, você e todos os seus funcionários devem ter conhecimento suficiente para realizar suas tarefas e dar aos clientes as informações que eles precisam. Seus funcionários são bem treinados antes de lidarem diretamente com os clientes? Vocês testam o conhecimento dos seus funcionários? Muitas empresas constataram que incluir procedimentos de teste em seus programas de treinamento melhora muito o desempenho dos funcionários, o que, por sua vez, impulsiona a satisfação do cliente.

Recapitulando, os fundamentos são:

1 Limpeza.
2 Aparência pessoal/higiene.
3 Comunicação clara.
4 Consideração.
5 Conhecimento.

Quais são os fundamentos importantes no seu negócio? Se você ainda não parou para identificá-los, recomendo vivamente que o faça. Em seguida, se você for um gestor, certifique-se de que todos os seus funcionários os dominam e os aplicam a cada momento do dia.

REGRA 5

O que a sua mãe faria?

Um dia ainda quero escrever um livro intitulado *Gerencie como uma mãe*. Ao longo da minha carreira, volta e meia me via pensando no que a minha mãe faria se estivesse em determinada situação. Tive grandes mentores na minha vida, mas ela foi de longe a pessoa que mais me ajudou a me tornar quem sou hoje. Ela me ensinou que para ter sucesso eu teria de trabalhar duro e me inspirou se empenhando mais do que qualquer outra pessoa que conheço. O fato de ela ter incutido hábitos tão bons e tanta autoconfiança neste pobre sujeito da cidadezinha de Bartlesville, Oklahoma (que ainda por cima largou os estudos), a ponto de eu ter conseguido ascender aos níveis mais elevados do setor hoteleiro, é absolutamente incrível.

Não tenho como saber que tipo de gestora minha mãe teria sido no mundo corporativo, mas sei que a mentalidade que a orientou na minha criação e na do meu irmão, de sempre fazer a coisa certa, constitui uma atitude que todos os líderes de negócios deveriam cultivar. À medida que eu subia pela escada corporativa, me vi tentando colocar esse simples conceito em prática, com um pequeno ajuste. Eu me dizia: "não faça nada que você não gostaria que mamãe soubesse". Recomendo vivamente que você e todos os envolvidos no atendimento aos clientes façam o mesmo.

Outra lição que aprendi com a minha mãe é fazer com que todos os clientes se sintam à vontade e bem recebidos. Você se lembra de quando era criança e a sua mãe o ensinou a receber com cortesia todos os visitantes e dar as boas-vindas a todas as crianças que se mudavam para o bairro? As mães querem que seus filhos tenham um excelente desempenho e também saibam atuar em equipe. O atendimento ao cliente é um esporte de equipe, então faça com que seus colegas e colaboradores se sintam incluídos, do mesmo modo como a sua mãe o incentivava a agir com as outras crianças do *playground*. Oriente-os dando dicas para que melhorem no trabalho. Encoraje-os, ajude-os a corrigir os erros e elogie-os sempre que acertarem. Se eles se comportarem de modo não profissional, mostre a eles uma maneira melhor de trabalhar. Se eles desconhecerem os procedimentos ou não souberem como operar um equipamento, ensine-os. Um pouco de cuidado materno faz maravilhas.

Você pode nem sempre ter gostado, mas as lições que a sua mãe ensinou na sua infância na verdade são incríveis lições de negócios. Segue uma lista de coisas que as mães costumam dizer e que podem ser consideradas excelentes dicas de atendimento ao cliente:

- » Nunca deixe de dizer "por favor" ao pedir alguma coisa e "obrigado" ao receber.
- » Receba as pessoas olhando-as nos olhos e com um sorriso cordial.
- » Sempre peça desculpas quando cometer um erro ou quando deixar alguém chateado ou incomodado.
- » Sempre cumpra as suas promessas.
- » Nunca minta.
- » Nem pense em sair vestido desse jeito.
- » Se não puder dizer algo gentil, fique quieto.
- » Tente ver a situação do ponto de vista do outro.
- » Trate os outros como gostaria de ser tratado.
- » Faça direito ou não faça nada.

Os funcionários que agem de acordo com essas máximas invariavelmente proporcionarão um atendimento melhor ao cliente — além de levarem uma vida melhor em geral.

Não importa qual seja a sua posição na hierarquia da empresa, a sua carreira depende, em grande parte, de trabalhar toda manhã do jeito que a sua mãe gostaria que você saísse de casa para ir à escola: cheio de energia e confiança, com um espírito de quem consegue fazer o que quiser e com um andar decidido. Ela iria querer que você entrasse pela porta da escola determinado a atingir a excelência e disposto a persistir diante de obstáculos e decepções. Ela gostaria que você exibisse não apenas as habilidades para participar do jogo com um desempenho excepcional como também demonstrasse ter as sólidas bases éticas para jogar limpo e de acordo com as regras (sempre vestido impecavelmente e bem arrumado, é claro). Todas as mães querem que os filhos sejam acima da média e, em uma economia difícil, você não pode se dar ao luxo de ter um desempenho mediano. Então, faça de tudo para dar aos seus clientes o tipo de atendimento do qual a sua mãe se orgulharia e se gabaria com os vizinhos.

Os bons gestores que incentivam os funcionários a atingir seu pleno potencial também poderão se beneficiar de outra característica das boas mães: a visão a longo prazo. As mães estão sempre pensando no tipo de adultos que querem que seus filhos sejam quando crescerem. É por isso que elas enfatizam tanto a educação. É por isso que elas tentam inculcar autoestima e autoconfiança. É por isso que elas fazem com que seus filhos se sintam seguros e valorizados desde o dia em que nascem. Uma mãe que deseja que seus filhos acreditem na própria capacidade lhes diz, de mil maneiras diferentes, que ela acredita neles. Na qualidade de gestor, você deveria fazer o mesmo. Pense no tipo de pessoas que você deseja que seus funcionários sejam e eduque-os de acordo. Estimule a autoestima e a autoconfiança deles. Faça com que se sintam seguros e valorizados. Mostre que você acredita neles. Naturalmente, isso tudo não garante que todos os funcionários terão um excelente desempenho. Nenhuma mãe pode garantir isso dos filhos. Mas as boas mães sabem como aumentar as chances de isso acontecer.

Uma última sugestão: da próxima vez que um cliente agradecer pela sua ajuda, o seu chefe dar um tapinha nas costas pelo bom trabalho ou você realizar algo digno de orgulho no trabalho, ligue para a sua mãe. (Se a sua mãe for falecida, imagine-se conversando com ela.) Quando ela atender o telefone, diga:

— Oi, mãe, aconteceu uma coisa boa no trabalho hoje e eu só queria agradecer por tudo o que a senhora fez por mim e por tudo o que me ensinou. Agora sei que não estaria onde estou se não fosse pela senhora.

Abraham Lincoln não poderia ter resumido essa ideia melhor quando disse: "Tudo o que sou ou poderia esperar ser devo ao anjo da minha mãe".

REGRA 6

Seja um ecologista

Se você já leu alguma coisa sobre ecologia sabe que os ecossistemas são meticulosamente equilibrados e que cada um dos seus elementos é importante e interconectado. Se você deixar um ambiente imperturbado, depois de um tempo — normalmente longo —, ele acabará se equilibrando. Mas, se você acrescentar ou retirar um elemento, o ambiente inteiro será afetado.

A empresa é como um ecossistema: todos os elementos são interconectados como em um meio ambiente natural. Em outras palavras, o que acontece em uma área afeta todas as outras em alguma extensão. Desse modo, tudo o que você faz afeta a qualidade do seu atendimento. Se quiser que os seus clientes recebam um excelente atendimento, dê toda a atenção a cada decisão tomada, cada política anunciada, cada procedimento implementado, cada pessoa contratada, cada promoção concedida, cada e-mail enviado, cada conversa, cada aperto de mão e cada tapinha nas costas. Até ações ou fatores que aparentemente não possuem relação alguma com a interação com um cliente ou um ponto de vendas pode acabar tendo enormes repercussões sobre o atendimento aos seus clientes e, em última instância, sobre os seus resultados financeiros.

Quando dou palestras e conduzo *workshops*, costumo dizer que, nos meus anos de experiência atuando como gestor, meu trabalho foi criar um ecossistema de excelência no atendimento. Depois digo que o meu sucesso nessa empreitada se baseou em grande parte em três fatores. O primeiro foi contratar um excelente pessoal; o segundo foi garantir que esses funcionários tivessem a *expertise*, o treinamento e os recursos necessários para apresentar um desempenho superior; e o terceiro foi deixá-los em paz para que trabalhassem sem serem submetidos a desconfiança ou microgerenciamento. Quando eu fazia isso, descobria que o sistema mais cedo ou mais tarde se equilibrava, da mesma forma que acontece em um ecossistema natural.

Em empresas com cultura de atendimento excelente, o pessoal do topo permite às pessoas que reportam diretamente a eles trabalhem com liberdade. Sem a necessidade de microgerenciar, os chefes também ficam livres para trabalhar melhor. Por exemplo, quando eu comandava as operações do Walt Disney World, tive dois excelentes executivos, Bud Dare e Jeff Vahle, que cuidavam de todos os projetos de bens de capital. Com uma equipe de manutenção de 4 mil funcionários, eles mantinham o lugar todo em excelentes condições. Bud era contador e Jeff era engenheiro. Por se tratar de duas *expertises* nas quais eu tinha capacidade zero, eu não interferia no trabalho deles e, ao longo dos anos, os dois apresentaram um desempenho espetacular e ainda por cima me ajudaram a me destacar. Usei a mesma tática com Dieter Hannig, o encarregado de todas as nossas operações de alimentos e bebidas. Eu tinha passado 25 anos na área, mas Dieter sabia muito mais do que eu jamais saberei sobre como servir excelentes refeições, de forma que deixei essa parte das operações para ele. E fiz a mesma coisa com todos os outros líderes de primeira classe com quem trabalhei, como Liz Boice, do setor de mercadorias, e Don Robinson, Erin Wallace, Alice Norsworthy e Karl Holz das operações. Como resultado, eles tinham liberdade para tomar as decisões relativas ao seu trabalho do dia a dia — qual vinho servir, como direcionar o tráfego de pedestres e dezenas de outros detalhes — para otimizar a experiência do cliente.

Aqueles executivos trabalhavam tão bem que as pessoas vinham me perguntar: "Lee, com todos esses excelentes profissionais trabalhando para você, o que exatamente você faz?". Eu respondia que era o ecologista chefe, concentrado em melhorar o ambiente e a cultura da Disney World, mas sem perturbar o delicado ecossistema. A minha meta era promover um ambiente saudável e não tóxico, onde todos eram motivados a fazer o que pudessem para tratar cada visitante como a pessoa mais importante do mundo — e todos tivessem as habilidades e os recursos necessários para cumprir essa responsabilidade. Eu contratava e promovia as pessoas certas, tomava as medidas necessárias para que elas fossem bem treinadas e criava uma cultura na qual todos sabiam que faziam a diferença, o que as motivava a acordar todas as manhãs ansiosas para chegar logo ao trabalho.

A boa notícia é que, não importa a sua posição na empresa, você também pode ser um ecologista. Você não precisa ter alguma autoridade especial e não precisa ter ninguém reportando diretamente a você para transformar o seu canto da organização em um ambiente próspero e saudável. Mesmo se a sua organização em geral for uma bagunça e sofrer de excesso de gerenciamento, você pode criar um Shangri-la com as pessoas ao seu redor se seguir as Regras de Atendimento. Não se preocupe com o que os outros estão fazendo; concentre-se no que você pode fazer para manter um ecossistema centrado em satisfazer todas as necessidades dos clientes.

REGRA 7

Mantenha-se alinhado

No início dos anos 1970, quando eu era um jovem gerente de restaurante no Philadelphia Marriott, os fundadores da empresa, J. W. Marriott e sua esposa, Alice, entraram no restaurante logo cedo, durante o café da manhã. O senhor Marriott caminhou diretamente na minha direção e olhou para o meu crachá, que ostentava meu nome e cargo.

— Cockerell, você é o gerente deste restaurante?

— Sim, senhor — respondi.

Ele me olhou nos olhos, apontou para o punhado do meu cabelo que cobria as minhas orelhas e disse:

— Por que você não corta os cabelos para aparentar ser um?

Depois que me recuperei do meu ataque cardíaco, fui direto para o barbeiro do hotel e pedi um corte de cabelo de emergência. O choque e a vergonha me fizeram perceber que, apesar de cabelos mais compridos ser a moda entre os meus colegas na época, não era um estilo adequado para profissionais de sucesso. Daquele dia em diante, passei a prestar mais atenção à minha aparência. Em vez de me parecer com os sujeitos com os quais eu convivia — muitos deles desempregados, que tocavam em bandas e moravam no porão da casa dos pais —, escolhi me parecer mais com as pessoas que tinham empregos estáveis e carreiras de sucesso. Cheguei a estudar as fotos do relatório anual da empresa para analisar a aparência dos altos executivos porque um dia ainda queria ser um deles. E foi o que aconteceu.

Em um mundo perfeito, a sua aparência, as suas roupas ou até o seu estilo de cabelo não afetariam o que os clientes pensam de você. Mas o mundo está longe de ser perfeito e a verdade é que as pessoas formam uma opinião sobre você já nos primeiros segundos da interação. Os clientes não apenas o julgarão rapidamente como também a sua empresa com base no que esperam da aparência de um atendente. Se a sua aparência e conduta forem profissionais, eles presumirão que o atendimento prestado é profissional. Caso contrário, eles abandonarão a sua empresa.

Se você trabalha em uma grande empresa, provavelmente foi informado do código de vestuário e aparência pessoal. Você pode não gostar desses padrões. Você pode protestar: "Isso não tem nada a ver comigo!". Bom, talvez não quando você não está trabalhando, mas é assim que você deve se vestir e aparentar durante o expediente — isto é, se você quiser fazer bem o seu trabalho e avançar para o próximo nível. Pense em termos de um figurino para um papel que você está interpretando em uma peça de teatro e interprete esse papel à perfeição. Depois que a cortina é fechada, você pode ter as manias, o estilo e as esquisitices que quiser.

Se não souber ao certo quais são os padrões de aparência pessoal no seu trabalho — para você ou para os seus funcionários — atente às pessoas mais bem-sucedidas da sua área ou posição. Como elas se vestem? Como se apresentam? A atitude delas sugere que estão felizes em servir os clientes ou que preferiam estar em outro lugar? Na maioria dos casos, você notará que as pessoas de sucesso nunca têm uma aparência desgrenhada, desleixada ou desmazelada e você nunca as verá com preguiça, de cara fechada, com um sorriso forçado ou parecendo cansadas, entediadas ou mal-humoradas. Manter-se alinhado não se limita a vestir-se e cuidar-se bem, mas inclui o modo como você se apresenta. Então garanta que tanto você quanto os seus funcionários exibam a linguagem corporal apropriada o tempo todo. Todos devem se mostrar alertas, atenciosos, energizados, felizes de estar ali e dispostos a servir.

Quando se trata do atendimento, a energia é vital. Você pode até parecer alinhado, mas se não se *sentir* assim, não terá a energia física, emocional e mental necessária para manter uma boa atitude. Pense nas pessoas com as quais você interage no dia a dia. Você prefere fazer negócios com pessoas que o recebem com energia ou pessoas que ficam paradas, letárgicas e bocejando? Seja uma daquelas pessoas animadas que já acordam sem ver a hora de começar a trabalhar. E, se você estiver em uma posição de autoridade, contrate pessoas alertas e com vitalidade — pessoas que parecem ter a energia e a motivação necessárias para fazer mais do que o esperado pelos clientes.

Se você tiver uma aparência alinhada você se sentirá alinhado e prestará um atendimento alinhado. No mínimo, os seus clientes *perceberão* o seu atendimento como melhor — e avaliarão melhor o seu desempenho — simplesmente porque você parece perfeito para o papel.

Pode não ser justo, mas a vida é assim.

REGRA 8

Seja profissional

Há uma grande diferença entre exercer uma profissão e ser uma pessoa que *age com profissionalismo*. Pense em todos os atletas profissionais que agem como moleques mimados. Ou advogados profissionais que se comportam como ladrõezinhos baratos. Agora pense em todos os motoristas de ônibus, caixas de supermercado e atendentes que se comportam como profissionais perfeitos. O que quero dizer com isso é que o profissionalismo não depende de treinamento, cargo ou nível salarial, mas é uma questão de como você se comporta, particularmente na presença de clientes, compradores, passageiros e pacientes.

Nas minhas palestras sobre o tema, sempre dou o exemplo de garçons e garçonetes de restaurantes de Los Angeles, muitos deles atores ou músicos esperando uma oportunidade. Alguns desses aspirantes a artista trabalham com um ar de enfado e ressentimento, como se quisessem deixar claro que servir mesas está muito abaixo da capacidade deles e que só se submeteram à tarefa porque ainda não tiveram sua grande chance de brilhar no palco. Outros tratam o trabalho com respeito. Eles podem desejar, por dentro, nunca mais servir uma mesa, mas fazem de tudo para não demonstrar esse sentimento. Eles trabalham duro e tratam todo cliente como se fosse a pessoa mais importante do mundo. E essa atitude compensa. Muitos artistas famosos receberam uma grande chance prestando um excelente atendimento a um cliente que acabou se revelando um diretor de *casting* ou executivo de um estúdio.

Os verdadeiros profissionais vão ao trabalho energizados pela paixão por se destacar, não importa o nível de responsabilidade que tiverem no momento. Eles sabem que, se oferecerem excelência em um mundo no qual ela é uma raridade, as chances de serem notados pela pessoa certa decolam. Esse é um segredo que aprendi no início da minha carreira e uma das principais razões pelas quais cheguei onde cheguei apesar de ter crescido em uma cidadezinha rural do estado de Oklahoma e ter largado a faculdade. Quando precisei descascar batatas no exército, por exemplo, eu me empenhava para descascar as batatas à perfeição e me orgulhava disso. Mantive essa atitude ao longo de toda a minha carreira e colhi muitos frutos por isso. As pessoas influentes sabem que a busca da excelência é transferível e, se o virem se empenhando para se destacar em uma posição, elas sabem que você agirá da mesma maneira em outra posição.

Então, não importa se você está no emprego dos seus sonhos ou em um emprego abaixo do ideal para pagar as contas enquanto não encontra uma oportunidade melhor, não espere para atingir a excelência profissional.

Os profissionais se interessam pelo que fazem e se preocupam com o modo como afetam cada cliente. Eles levam uma atitude positiva e confiante ao trabalho e os clientes percebem seu interesse em prestar o melhor atendimento possível.

Os profissionais são inspirados e inspiram os outros. Eles buscam soluções ao derrubar obstáculos com entusiasmo, orgulho e dedicação, sem deixar nenhum *i* sem pingo e nenhum *t* sem ser cruzado. Os profissionais são flexíveis, adaptáveis e capazes de lidar com as surpresas da vida. Eles são responsáveis, bem preparados, prestativos, eficientes, confiáveis, competentes e sempre confiantes. Eles estão sempre prontos para fazer o que for necessário, não importa quais sejam as circunstâncias ou o nível de pressão ao qual estiverem submetidos. Quando os problemas persistem, eles também persistem, incorporando a atitude de perseverança de Thomas Edison diante das dificuldades: "Eu não fracassei", o lendário inventor disse em uma ocasião, "Só descobri 10 mil jeitos que não funcionam".

Os profissionais se empenham ao máximo: enfrentando um novo e fascinante desafio, se ocupando com uma atividade que já ocuparam mil vezes, trabalhando sozinhos entre quatro paredes ou sendo observados pelo CEO. Pense nos atletas de primeira classe: os melhores se empenham tanto nos treinos quanto em um jogo de campeonato.

Os profissionais se apresentam sempre na hora e sempre prontos para por as mãos na massa. Se uma situação exigir que eles cheguem mais cedo, fiquem até mais tarde no trabalho ou abram mão de um dia de folga, não tem problema. Eles sempre compareçem e se encarregam de resolver os problemas. Em suas interações com os colegas, eles são otimistas e positivos. Eles não se envolvem em fofocas, não reclamam quando as coisas não acontecem como eles gostariam, não se queixam do caos do ambiente de trabalho.

Os profissionais são autodirigidos, automotivados e autossuficientes, mas também sabem trabalhar em equipe. Eles são bons colegas de trabalho e valorizam sólidos relacionamentos profissionais. Eles cumprem o que prometem, tratam seus compromissos como votos sagrados e se responsabilizam pelos seus atos.

Apesar de serem focados e obstinados na busca por atingir resultados, os profissionais não são carrancudos ou mal-humorados; eles levam o trabalho a sério, mas não *se* levam muito a sério. Apesar de se orgulharem de suas realizações, não são arrogantes nem petulantes.

Talvez o mais importante: os profissionais estão sempre no controle. Eles podem nem sempre ser capazes de controlar o mundo ao seu redor, mas estão sempre no controle de si mesmos, e todo mundo percebe isso.

No início da minha carreira, eu não me sentia como um profissional. Mas, como é dito nos programas de 12 passos, às vezes é preciso fingir até conseguir, e foi exatamente o que fiz: eu me transformei em um bom ator. Aprendi a aparentar ser um bom profissional e a me comportar como um profissional. Até aprendi a falar como um, melhorando o meu vocabulário, treinando para usar a gramática correta e abandonando maus hábitos como murmurar "hmmm", "err" e "tipo assim". Os profissionais estão sempre atentos ao modo como as pessoas falam.

Você provavelmente já ouviu o ditado "Não se vista para o emprego que tem, mas para o emprego que deseja ter". Eu recomendo levar esse conselho ainda mais longe: não atue como se tivesse o emprego que tem, mas como se tivesse o emprego que deseja ter. Se você for um atendente, aja com tanto profissionalismo a ponto de os clientes pensarem que você é o gerente; se for um gerente, aja com tanto profissionalismo a ponto de eles pensarem que você é o dono do negócio ou o CEO.

Os seus clientes e o seu chefe o respeitarão por isso e, o mais importante, você se respeitará por isso. No fim das contas, o profissionalismo nada mais é do que respeito próprio.

REGRA 9

Contrate o melhor elenco

Para prestar um excelente atendimento ao cliente, não basta ter políticas flexíveis e procedimentos adaptáveis. Você também precisa das pessoas certas para *executar* essas boas políticas e esses procedimentos. Caso contrário, você será como um técnico de futebol com uma excelente estratégia de jogo mas péssimos jogadores.

Muitos gestores não sabem como entrevistar candidatos a emprego. Eles tendem a fazer perguntas que resultam em poucas informações proveitosas sobre como seria o desempenho real da pessoa no trabalho. Em consequência, suas decisões são tomadas com base quase exclusivamente no instinto. A contratação é importante demais para ser deixada ao acaso. É por isso que todos os envolvidos no processo de seleção — não só o pessoal de recursos humanos — deveriam saber como conduzir uma entrevista para selecionar um candidato comprometido com o atendimento. Não importa qual seja a sua posição na organização, quanto mais você souber entrevistar e selecionar bem os funcionários, mais fácil será o seu trabalho e melhor será o seu atendimento ao cliente.

No meu primeiro cargo de gestão, eu era tão bom quanto a maioria dos gestores na contratação de novos funcionários. Em outras palavras, eu não sabia muito bem o que estava fazendo. Aprendi as minhas primeiras lições sobre como contratar as pessoas certas com a organização Gallup, que me ensinou a identificar os talentos que as pessoas tinham e os talentos que elas *não* tinham. Depois, fui apresentado a Carol Quinn e seu método de entrevistas baseado em motivação (Motivation-Based Interviewing — MBI). Foi uma verdadeira revelação para mim. Quinn criou um programa para distinguir os verdadeiros talentos de candidatos que apresentam um desempenho impressionante nas entrevistas, mas que acabam decepcionando no trabalho. Graças a ela, mudei o modo como conduzia entrevistas e contratei pessoas excelentes pelo resto da minha carreira.

Uma coisa que aprendi é que algumas perguntas feitas com mais frequência em entrevistas são contraproducentes; na verdade, elas acabam *ajudando* os candidatos a dar o tipo de resposta excessivamente positiva que faz com que eles pareçam ser melhores do que realmente são. Por exemplo: "Me fale de uma ocasião na qual você fez mais do que o esperado para satisfazer um cliente". Variações desse tema são comuns, porque os entrevistadores acreditam que esse tipo de pergunta revelará alguma coisa sobre o candidato. O problema é que até os piores funcionários conseguem ter pelo menos *uma* ocasião na qual eles fizeram um trabalho excepcionalmente bom e você não tem como saber se essa história impressionante é um exemplo de um comportamento típico ou o ponto alto em uma longa história de mediocridade. Então eu parei de fazer esse tipo de pergunta. Em vez disso, passei a perguntar sobre a experiência deles lidando com desafios ou obstáculos no trabalho. Por exemplo, eu poderia perguntar: "Me fale sobre uma ocasião na qual você teve de lidar com um cliente furioso". Note a diferença. É uma pergunta bem mais aberta. As pessoas podem responder falando sobre uma ocasião na qual fizeram algo excepcional... ou não. Elas podem se lembrar de uma ocasião na qual só fizeram o suficiente, podem falar sobre um cliente impossível de satisfazer ou até contar sobre uma pisada de bola. Elas podem contar mais de uma história. A questão é que perguntas que levam a uma variedade de respostas são mais reveladoras do que perguntas sobre os pontos altos da carreira dos candidatos.

Um grande erro que as pessoas cometem na seleção de funcionários é presumir que o nível de habilidade basta para justificar uma contratação. É claro que você precisa levar as habilidades do candidato em consideração, mas jamais deveria parar por aí. Você também precisa avaliar dois outros ingredientes essenciais do excelente atendimento: atitude e paixão.

Você provavelmente já ouviu o ditado: "Contrate a atitude e ensine a habilidade". Quando falo de atitude no contexto do atendimento, me refiro à extensão do poder que as pessoas acreditam ter de afetar os resultados mesmo diante de grandes desafios. Dito de maneira simples, há dois tipos de pessoas: aquelas com uma atitude do tipo "eu consigo", que acreditam que são capazes de superar os obstáculos; e pessoas com uma atitude predominantemente do tipo "eu não dou conta", que acreditam que os resultados dependem primordialmente de fatores externos. O segundo grupo tende a se encolher diante de um desafio; convencidos de que os resultados estão fora de seu controle, eles não veem razão para se empenhar muito. Em consequência, esse tipo de pessoa não consegue atingir um desempenho fora de série. Entretanto, pessoas do tipo "eu consigo" se empenham implacavelmente, e com criatividade, na busca de soluções porque acreditam que o sucesso não passa de uma questão de tempo e determinação. Como disse Henry Ford, o inovador fundador da Ford Motor Company: "Não importa se você acha que consegue ou não consegue, de um jeito ou de outro você está certo!". É por isso que é crucial contratar pessoas com a atitude certa para lidar diretamente com os seus clientes.

Mas até pessoas com as habilidades certas e uma atitude do tipo "eu consigo" podem decepcionar no que diz respeito ao atendimento se não tiverem paixão suficiente. Os clientes conseguem detectar a falta de paixão a quilômetros de distância e preferem fazer negócios com funcionários que parecem motivados e energizados e não com funcionários que agem como quem está morrendo por dentro. Procure pessoas que adorem fazer o trabalho para o qual você as está contratando. A paixão pelo trabalho é um poderoso motivador. E a melhor parte é que você não precisa motivar as pessoas que têm essa paixão, porque a motivação delas vem de dentro. Se quiser funcionários que adoram o que fazem, procure candidatos que transmitem esse tipo de paixão assim que entram pela porta e se apresentam.

No que diz respeito à satisfação do cliente, a estratégia mais eficaz é contratar pessoas que têm o que chamo de "tripla coroa" do atendimento ao cliente: excelentes habilidades, uma atitude do tipo "eu consigo fazer o que for necessário" e uma enorme paixão pelo que fazem. Juntos, esses três fatores constituem o elemento mais indispensável do excelente atendimento ao cliente: comprometimento. Isso se aplica a qualquer negócio ou profissão do planeta. Médicos comprometidos têm pacientes mais satisfeitos. Professores comprometidos têm alunos mais satisfeitos. Não importa se você trabalha em uma escola ou em um hospital, em uma rede de varejo ou em uma companhia aérea, em um supermercado ou em uma fábrica; se quiser prestar um excelente atendimento, precisa contratar pessoas habilidosas, apaixonadas e confiantes, comprometidas em proporcionar a cada cliente a melhor experiência possível.

REGRA 10

Seja o seu próprio Shakespeare

Anos atrás, tentei imaginar como seria uma viagem perfeita ao Walt Disney World para uma família típica de quatro pessoas. Depois, me pus a narrar a experiência em uma história de dez páginas descrevendo a visita de uma semana da fictícia família Rogers. Por que fiz isso? Porque tinha acabado de me mudar para Orlando para assumir o cargo de vice-presidente sênior de operações de *resorts*, e a história fictícia dos Rogers era basicamente um roteiro. Eu planejava usá-la para mostrar aos membros da equipe como servir cada convidado à perfeição.

A história se desenrolava assim: a família chega de carro. Os manobristas estacionam o automóvel com cuidado, os *greeters* (saudadores) os recebem com cortesia, os carregadores levam as malas com gentileza e o pessoal da recepção faz o *check-in* com eficiência e sem percalços. A história continuava descrevendo o quarto perfeitamente arrumado e limpo, seguido de encontros agradáveis com membros da equipe amigáveis e bem informados por toda a parte: comendo em um restaurante, pegando um ônibus, comprando sorvete, embarcando no Space Mountain e assim por diante. Esse desempenho cinco estrelas se mantém até o último dia, com membros da equipe sorridentes se despedindo da radiante família Rogers, que acabara de ter uma sucessão de experiências das quais jamais se esqueceriam.

Escrever essa história me proporcionou uma imagem vívida de como a excelência no atendimento deveria ser vivenciada pelos convidados. Distribuí o roteiro a todas as pessoas que trabalhavam na minha área de responsabilidade para que pudessem transformar essa visão do atendimento perfeito em realidade. Na carta de apresentação do material, eu dizia, entre outras coisas, que esperava que a história os "ajudasse a visualizar e entender como deve ser um atendimento de primeira classe no Walt Disney World". Aquilo se tornou o padrão para tudo o que fiz durante a minha gestão. Não importa se o seu trabalho é atender ao telefone ou prestar consultoria; se você trabalha no departamento de contas a pagar ou no suporte técnico; se você é garçom ou *maître* em um restaurante; se você é caixa ou gerente do banco; se você é comissário de bordo ou piloto — você também pode criar um roteiro similar para descrever um atendimento excelente.

Costumo orientar as pessoas a começar cada dia de trabalho com se estivessem subindo ao palco para representar o papel da vida delas. Eu lhes digo para imaginar que a grande cortina vermelha está prestes a ser aberta e a primeira fila está cheia de críticos. Eu também observo que um excelente desempenho depende de um excelente roteiro; basta perguntar a qualquer produtor, diretor ou ator e eles lhe dirão que tudo começa com palavras em uma página. Então, se a sua meta for atingir um excelente desempenho no atendimento, sua primeira tarefa será descrever exatamente como deveria ser esse atendimento. Por que não ser o seu próprio "Shakespeare"?

Comece imaginando a experiência perfeita para um cliente, partindo do momento em que ele chega ao estacionamento, depois à entrada e à recepção, até o momento em que ele sai, feliz, satisfeito e sem ver a hora de voltar. O que ele vê? O que ele ouve? Como ele se sente? Pense em todos os detalhes e no que você e os seus funcionários — os atores da sua peça — precisam fazer para possibilitar essa experiência perfeita. Quem faz o quê? Quando cada coisa é feita? O que eles dizem? Como eles dizem? O que eles estão vestindo? Qual é a atitude deles? Quanto mais detalhes melhor.

O próximo passo é apresentar seu roteiro a todas as pessoas da sua equipe, do seu departamento ou até para a organização inteira. Afinal, como em uma peça da Broadway ou um filme de Hollywood, a única maneira de garantir uma produção de sucesso é se empenhar para que o elenco todo conheça seus papéis. Naturalmente, se você liderar uma grande organização com um elenco de milhares de pessoas, não será possível incluir cada minúsculo detalhe ou a sua história acabará mais longa do que *Guerra e paz*. Então, deixe alguns detalhes de fora e convide as pessoas a preencherem as lacunas para seus departamentos. Isso irá encorajá-las a escrever os próprios roteiros — uma prática que estimulará o envolvimento criativo e garantirá que cada aspecto do desempenho global seja coberto.

Se o teatro não for bem a sua praia, pense no seu roteiro como se fosse uma receita. Os *chefs* não anotam suas receitas de brincadeira; eles o fazem para que, uma vez que descobrem a mistura perfeita de ingredientes, eles possam reproduzir o prato exatamente do mesmo jeito toda vez. De maneira similar, uma vez que você descobriu a receita perfeita para o atendimento, você não vai querer garantir que ela seja aplicada sistematicamente todos os dias?

É claro que, apesar de o roteiro ou a receita constituir um modelo indispensável para um desempenho uniforme, ele não deve se transformar em algo irrevogável. Todo diretor e ator (e *chef*) lhe dirá que não é possível realizar duas apresentações (ou refeições) exatamente iguais mesmo se ninguém alterar nenhuma linha do diálogo (ou nenhum ingrediente). Se você tiver o elenco certo e ensaiá-los bem, pode e deve deixar que eles improvisem uma vez que o roteiro esteja dominado (veja a Regra 35, "Seja flexível"). Isso é particularmente importante porque os membros do elenco estarão interagindo com figurantes imprevisíveis — os clientes —, e terão de improvisar ainda mais do que os atores no palco ou na tela. Além disso, as circunstâncias mudam constantemente, então recomendo que o roteiro seja revisto de tempos em tempos. Foi o que fizemos com a minha história da família Rogers à medida que novos serviços eram lançados e novas tecnologias eram disponibilizadas.

Um roteiro bem desenvolvido também é um recurso incrível para a contratação e o treinamento. Tal qual um diretor de *casting*, você pode estudar o roteiro para identificar as características que deve procurar na "audição" dos candidatos. Por exemplo, se estiver contratando um vendedor, você deve querer uma pessoa extrovertida, com alto nível de energia, um sorriso aberto e sincero e a capacidade de interagir com um grande número de clientes. O seu roteiro pode ajudar a identificar essas qualidades porque descreve a aparência, as atitudes e as ações específicas desse "personagem" em mais detalhes do que uma descrição de cargo típica.

Em resumo, não deixe o desempenho do funcionário ao acaso; assegure-se de que todos tenham um roteiro. Como o público de peças teatrais e concertos de música, os seus clientes querem a excelência a cada apresentação. Um bom roteiro ajudará o seu negócio a ter uma longa e lucrativa turnê.

Seja um *expert* na criação de *experts*

Se você fosse um paciente prestes a entrar em cirurgia, você preferiria ter um cirurgião altamente experiente e com treinamento especializado ou um médico inexperiente que acabou de sair da faculdade? De forma similar, apesar de não ser necessariamente uma questão de vida ou morte, os seus clientes também preferem lidar com especialistas nos quais eles podem confiar.

Como aprendemos com a minha neta, Margot, "seja bonzinho" é a primeira regra do excelente atendimento — mas não é a *única*. A verdade é que os clientes podem ser atraídos e seduzidos pela gentileza, mas, se não receberem *expertise* e competência, eles irão para outro lugar, onde as pessoas saibam o que estão fazendo. Nas minhas viagens pelo mundo, vi um número excessivo de gerentes e funcionários gentis, mas incompetentes. Tenho pena deles, porque, sem o treinamento necessário para desempenhar bem seu papel, esses sujeitos agradáveis estão deixando de sentir a satisfação de um trabalho bem feito.

Depois de contratar as pessoas com as características certas, você deve ensinar a sua filosofia de atendimento e treiná-las para executar as tarefas específicas necessárias para exercer seu papel. Nas minhas palestras, costumo perguntar: "A sua empresa possui um departamento de treinamento e desenvolvimento?". Quase todos os participantes levantam a mão. Mas o que poucos percebem é que o treinamento e o desenvolvimento não são um departamento, são uma responsabilidade, tarefa não apenas de um punhado de representantes de RH ou coordenadores de treinamento, mas de todas as pessoas da empresa. Aprendi essa lição no início da minha carreira, quando Bill Marriott me disse: "O único jeito de atingir a excelência é com treinamento, educação e supervisão". Tenho comprovado a verdade dessas palavras vez após vez; as organizações que dedicam tempo e recursos significativos ao treinamento de seus funcionários conseguem atender aos clientes melhor do que as outras.

Isso implica educar todas as pessoas da organização sobre tudo o que a empresa faz, desde sua declaração de missão e filosofia corporativa até sua linha completa de produtos e serviços, podendo incluir até seu modelo de negócios. Só quando os funcionários tiverem um bom conhecimento sobre a empresa e seus produtos é que eles estarão equipados para atender adequadamente aos clientes, seja pessoalmente, por telefone ou pela internet. Conhecimento é poder, e um funcionário munido de conhecimento é capaz de transformar um consumidor vagamente interessado em um comprador e um cliente ocasional em um cliente frequente. Todos nós sabemos como é frustrante fazer negócios com funcionários mal informados. Em uma ocasião, numa viagem a negócios, bati acidentalmente o meu carro alugado em um poste durante uma manobra. Como eu tinha uma agenda apertada e um avião para pegar, liguei para a linha direta da seguradora a caminho do aeroporto para saber quanto tempo levaria para preparar a papelada do seguro ao devolver o carro. A pessoa que atendeu o telefone não fazia ideia e me transferiu ao serviço de apoio ao usuário. Quando o representante de atendimento finalmente atendeu a ligação, ele ouviu educadamente a minha dúvida e se pôs a enumerar uma lista interminável de opções — o senhor pode fazer isso, o senhor pode fazer aquilo ou pode fazer mais aquilo —, sendo que nenhuma delas respondia a minha pergunta. Ele só continuou falando, como se mover os lábios pudesse abrir algum compartimento secreto no cérebro dele onde a resposta estava escondida. Eu finalmente o interrompi e repeti a minha pergunta: "Só quero saber quanto tempo vai levar". Ele admitiu que não sabia. Então pedi o número da agência onde eu devolveria o carro. Uma mulher cordial respondeu a minha pergunta com energia e sem hesitação: "Cinco minutos no máximo". E depois acrescentou: "A seguradora ligará para o senhor quando tiver a estimativa dos danos e orientará o senhor para decidir como proceder. Eles aceitam cheque, transferência bancária, cartão de crédito ou dinheiro".

 Que alívio! Ela sabia exatamente o que eu precisava saber e me informou sem delongas e sem mudar de assunto. Se todas as pessoas daquela empresa — especialmente o pessoal do suposto serviço de apoio ao usuário — tivesse a *expertise* dela, eu não teria perdido os 15 minutos da ligação anterior e me diriam o que eu queria saber em menos de 60 segundos. E não é só isso: os funcionários com os quais falei não teriam perdido 15 minutos do valioso tempo da empresa me enrolando quando poderiam estar ajudando outros clientes. A propósito, percebo que isso é típico: os *experts* atendem seus clientes rapidamente; os não *experts* só enrolam e dão informações vagas, incorretas ou irrelevantes. Assegure-se de que as pessoas que atendem ao telefone ou trabalham no seu serviço de apoio ao usuário sejam pessoas que ajudam e não as que precisam de ajuda.

Esse tipo de incidente é reflexo de um treinamento ineficaz por parte da gestão. Compare isso com o bom treinamento que levou ao tipo de experiência que tive numa loja da Verizon quando meu Wifi apresentou problema. Um atendente me recebeu em menos de 60 segundos depois que entrei na loja. Ele fez algumas perguntas, diagnosticou imediatamente o problema, baixou e instalou um *software* de atualização e saí com o dispositivo em perfeito funcionamento. Tudo isso em menos de cinco minutos.

Pela minha experiência, empresas famosas por prestar um excelente atendimento se mantêm constantemente treinando e desenvolvendo todos os funcionários do primeiro ao último dia na empresa. Elas ensinam a *expertise* necessária e a reforçam constantemente, seja por meio de *newsletters* regulares, e-mails, cursos, seminários ou retiros corporativos. Elas também encorajam e cultivam interações com os outros gestores e funcionários, incentivando o compartilhamento de novas dicas e truques. Basicamente, as organizações com o melhor atendimento são as que promovem ambientes de aprendizado contínuo, em todos os níveis da empresa. A Disney World faz isso e muito mais, com centros de aprendizado equipados com livros, vídeos, cursos *on-line* e profissionais bem treinados disponíveis a todos os funcionários o tempo todo.

Outra ação que os gestores podem tomar para reforçar constantemente o aprendizado é conversar regularmente com os funcionários e perguntar que tipo de dúvidas e reclamações eles têm ouvido dos clientes. Feito isso, tome providências para que todos obtenham respostas, se informem das soluções e desenvolvam as habilidades de que precisam para lidar com esses problemas, garantindo que os funcionários estejam preparados da próxima vez que os problemas surgirem.

O treinamento contínuo constitui uma maneira de garantir não apenas a qualidade como também a uniformidade do atendimento. Isso é fundamental, porque, se as pessoas da empresa não estiverem no mesmo barco, o seu negócio sofrerá as consequências. Uma conhecida minha me contou uma história que ilustra esse ponto perfeitamente. Ela estava passando um fim de semana em um hotel. No sábado, ela perguntou na recepção quanto custaria uma viagem de táxi ao aeroporto na segunda-feira de manhã e quanto tempo levaria. A resposta foi que a viagem levaria entre 45 e 90 minutos, dependendo do trânsito, e custaria cerca de 40 dólares. Na segunda-feira de manhã, ela pediu que o *concierge* chamasse um táxi e este lhe informou que a viagem levaria menos de meia hora e custaria cerca de 65 dólares. Dois funcionários e duas estimativas com uma diferença enorme. Cada um deles acertou em uma estimativa e errou na outra. Resultado: minha amiga gastou 25 dólares a menos, mas teve uma hora a menos de sono e uma hora a mais no aeroporto. Ela não ficou nada satisfeita com a experiência. Em resumo, certifique-se de que todos os seus funcionários tenham as mesmas informações e que sejam precisas.

Se o seu gestor não tiver *expertise* suficiente para ajudá-lo a se transformar em um *expert*, não fique de braços cruzados esperando que a situação se resolva. Não culpe o seu supervisor ou a sua empresa se você não tiver o conhecimento e as habilidades que deveria ter. Sim, é responsabilidade deles treinar você, mas também é *sua* responsabilidade desenvolver suas habilidades e obter o que for necessário para desempenhar seu trabalho com excelência, de uma forma ou de outra. Se o seu chefe não souber responder às suas perguntas, encontre alguém que saiba. Aproveite todos os recursos disponíveis, dentro ou fora da empresa. Tornar-se um *expert* não apenas melhorará o atendimento aos seus clientes (o que, por sua vez, ajudará a melhorar os resultados financeiros da sua empresa), como também reforçará sua autoconfiança e autoestima e lhe dará uma vantagem competitiva no mercado de trabalho. Tornar-se um *expert* no atendimento não beneficia apenas os seus clientes; *você* também sairá favorecido tanto na sua vida profissional quanto pessoal.

REGRA 12

Ensaie sempre

Já falamos como um excelente atendimento requer um excelente roteiro. Mas, mesmo se o seu roteiro for maravilhoso, será que você enviaria o seu elenco ao palco se ele não estivesse completamente preparado para executar a melhor apresentação possível? É claro que não. A fim de prepará-los para um excelente espetáculo, vocês devem ensaiar, ensaiar e ensaiar mais uma vez... e uma vez mais. Nos ensaios, é possível identificar as falhas do roteiro e encontrar maneiras de melhorá-lo ainda mais. Os times esportivos também fazem isso. Eles treinam e treinam e treinam um pouco mais e continuam praticando até o último apito do último jogo do campeonato. Como a sua mãe sempre disse, "A prática leva à perfeição".

Por que seria diferente em uma empresa? Pense na última vez que você precisou fazer uma apresentação no trabalho. Você foi despreparado ou repassou a apresentação em casa na noite anterior? No setor hoteleiro, é comum que todos, desde o garçom até o *concierge*, passem por sessões de treinamento prático no local de trabalho antes da inauguração de um restaurante ou hotel. Não importa qual seja o seu negócio, você também pode se beneficiar do ensaio. Os ensaios não custam nada além de tempo e rendem enormes dividendos quando a cortina é aberta.

Uma forma simples e excelente de ensaio é a interpretação de papéis. Basta atribuir a alguns funcionários o papel de clientes ou consumidores e deixar os outros desempenhando seu papel usual. Instrua os "clientes" a colocar os funcionários à prova fazendo perguntas difíceis e exigências absurdas. Pense em cenários que forcem os funcionários a usar todas as suas habilidades. Observe tudo o que eles fazem e dizem e oriente-os com sessões de *feedback* individual ou críticas imediatas por parte da equipe toda. Se as circunstâncias permitirem, você pode até querer fazer o que os técnicos esportivos fazem: gravar vídeos do ensaio e exibi-los à equipe.

Algumas pessoas podem se sentir pouco à vontade em exercícios de intepretação de papéis diante dos colegas e do chefe. Mais uma razão para ensaiar. Uma pessoa constrangida demais ou com medo de fazer feio diante dos colegas ainda não está pronta para o horário nobre. Basta perguntar aos diretores teatrais de sucesso e eles lhe dirão que ensaiar é a melhor cura para o medo do palco. Eis um outro antídoto: não deixe de dar a todos um *feedback positivo* durante os ensaios. Não se limite a apontar os erros; elogie-os quando acertarem.

Se as pessoas que prestam o atendimento estiverem espalhadas em locais dispersos, não se preocupe: é possível realizar o exercício de interpretação de papéis utilizando simulações no computador. Na Disney World, por exemplo, os motoristas do safári do Animal Kingdom costumavam ensaiar suas apresentações dirigindo os veículos de safári no ambiente de savana. Logo descobrimos que usar veículos reais dessa maneira era ao mesmo tempo demorado e custoso, de forma que agora os motoristas usam simulações no computador, de maneira similar aos pilotos de aviões. Essa opção não só é mais segura e menos dispendiosa como também agrega o benefício de poder ensaiar a qualquer hora.

Além de ensinar aos funcionários como realizar seu trabalho em condições do dia a dia, o ensaio também pode prepará-los para situações difíceis e incomuns. É por isso que recomendo vivamente reunir todos os seus funcionários para listarem juntos os problemas de atendimento ao cliente que encontram com mais frequência. Depois, vocês podem fazer uma lista com todas as dificuldades que os funcionários conseguirem *imaginar*. Em seguida, em grupo, decidam a melhor maneira de lidar com cada situação. Vocês não têm como prever tudo, mas devem ser capazes de se adiantar à maioria dos desafios potenciais. Concluído esse processo, vocês podem utilizar os resultados para criar novos cenários de ensaio. Ao ensaiar as respostas mais eficazes, vocês poderão resolver problemas no atendimento, impedindo-os de entrar em metástase. Além disso, uma vez que os ensaios tornam a atuação no dia a dia quase instintiva, os funcionários ficam com mais capacidade mental disponível para a resolução de problemas, de forma que, diante de uma nova situação, eles poderão encontrar a melhor solução mais rapidamente.

Lembre-se: não é só uma questão de *se* algo dará errado, mas sim de *quando* isso acontecerá. Como dizia Shakespeare: "Prontidão é tudo". Os ensaios constituem um excelente recurso para garantir que todos estejam prontos para se apresentar quando a cortina se abrir. Com certeza faz muito mais sentido ensaiar nos bastidores do que praticar com os seus clientes!

REGRA 13

Exija mais para conseguir mais

Os seus clientes esperam muito de você. Para satisfazer a essas altas expectativas, você, por sua vez, espera muito dos seus colegas e funcionários. As pessoas tendem a dar o que se espera que elas deem; então, se esperar o melhor de todos, é o que você obterá. Você pode até conseguir *mais* do que esperava.

Uma empresa que dá mais aos clientes ao esperar mais de seus funcionários é a Stihl, a conceituada fabricante de ferramentas elétricas. Por meio do meu trabalho de consultoria, conheci muitos funcionários da Stihl, desde o pessoal da matriz até operários do chão de fábrica, e descobri que todos têm uma coisa em comum: eles exigem excelência e não se contentam com nada menos. Se o menor detalhe não estiver perfeito em qualquer um dos produtos da empresa, o item não sai da fábrica até ser ajustado à perfeição. Eles esperam o melhor não apenas de suas serras elétricas e furadeiras, mas também de seus colaboradores — até dos palestrantes convidados para falar aos funcionários. Sei disso porque a Stihl me contratou em uma ocasião para dar uma palestra à sua equipe executiva. Muito antes do evento, Ken Waldron, o diretor de marketing da empresa, me convidou para visitar as instalações em Virginia Beach e conversar com alguns funcionários; ele queria se certificar de que eu conhecesse a visão e a estratégia da empresa antes da palestra. Depois de me mostrar as instalações todas, ele passou uma hora me apresentando o histórico da empresa e, posteriormente, me mandou um e-mail resumindo tudo o que conversamos. Ele chegou a comparecer em uma das minhas outras apresentações para me indicar os pontos mais relevantes para a Stihl. Tudo isso deixou muito claro que Ken tinha expectativas elevadíssimas para a minha palestra.

Essa atitude de altas expectativas deve se fazer presente em todos os cantos da organização. Os altos executivos devem esperar mais da gestão e a gestão deve esperar mais do *staff*. Por sua vez, o *staff* deve esperar mais dos gestores e os gestores devem esperar mais da alta administração. E, o mais importante, todos devem esperar mais de si mesmos.

Observe que estabelecer altas expectativas não custará nenhum centavo à sua empresa. Mas requer tempo e energia, porque não basta se limitar a definir essas altas expectativas; elas devem ser comunicadas — com franqueza, clareza e livres de qualquer ambiguidade. Não presuma que o seu pessoal ou os membros da sua equipe saibam o que se espera deles. Diga a eles. E repita. Informe-os de todas as maneiras que você puder imaginar, incluindo memorandos, mensagens no quadro de avisos, e-mails, *tweets* e conversas individuais. Não deixe espaço para mal-entendidos ou contradições. A coerência é vital. Se você não deixar claras as suas altas expectativas, ainda poderá obter um desempenho uniforme, mas ele será uniformemente mediano ou uniformemente insatisfatório.

Você também pode criar um documento detalhado explicando exatamente o que espera dos seus funcionários. Distribua-o para todas as pessoas de todos os cargos. Tudo bem se nem tudo se aplicar a determinadas pessoas; esses pontos podem se aplicar a elas no futuro, à medida que os funcionários mudam de posição. E, o mais importante, todo mundo saberá o que se espera dos outros. Depois de distribuir o documento, não deixe de fazer o acompanhamento: responda a todas as perguntas e esclareça as ambiguidades.

Certifique-se de incluir o que as pessoas podem esperar de *você*. Quando eu era o encarregado das operações da Disney World, enviei à minha equipe de liderança uma carta de seis páginas intitulada: "As prioridades e práticas operacionais de Lee: o que vocês podem esperar de mim e o que espero de vocês". Entre outras coisas, escrevi: "Estou disponível para conversar com vocês 24 horas por dia. Usem os números abaixo para entrar em contato comigo dependendo da importância e urgência da mensagem (incluí todos os meus números de telefone). Eu me manterei igualmente acessível às pessoas que reportam a mim tanto direta quanto indiretamente. Pretendo conversar com os funcionários e gerentes, investigar o que se passa nas operações e tentar identificar áreas de atenção... Manterei vocês informados. Se sentirem que eu não os estou informando a tempo, não deixem de me avisar. Como recebemos um volume muito grande de comunicações, tentarei filtrá-las o máximo possível. Se acharem que estou filtrando demais, me informem...".

Mesmo se você não for o chefe, ainda pode estabelecer altas expectativas para as pessoas que trabalham com você. Trabalhe com a sua equipe ou o seu departamento para definir metas juntos e encontrar as melhores maneiras de atingi-las. Desafie constantemente os seus colegas e impulsione-os para melhorar cada vez mais. Um pouco de competição amigável entre as tropas também não mata ninguém; na verdade, isso pode ser bastante motivador. Não importa quem você é ou qual posição você ocupa, se você tiver grandes metas, grandes coisas podem acontecer.

Em resumo: os seus clientes têm altas expectativas em relação a você. Se você quiser atingir a verdadeira excelência, espere ainda mais de si mesmo, dos seus colegas e de todos ao seu redor.

REGRA 14

Trate os clientes como trata as pessoas que ama

De certa forma, os seus clientes são como a sua família — sem a fidelidade e a confiança deles, o futuro da sua empresa será turbulento. É por isso que você deve tratar os seus clientes como você gostaria que sua mãe, seu pai, seu companheiro, seus filhos e outros entes queridos fossem tratados.

Muitas organizações elegem determinados clientes como VIPs, um *status* que lhes dá direito a mordomias e atenção especial. Eu diria que todos os clientes deveriam ser VIPs. Mas, quando digo VIP, não me refiro a "very important person" (pessoa muito importante); me refiro a "very individual person" (pessoa muito individual), no sentido de "distinta", "especial". Da mesma forma, como cada membro da sua família tem uma personalidade única, cada um dos seus clientes é um indivíduo, com desejos e necessidades individuais. Se você tem filhos, provavelmente quer que cada um deles cresça sentindo que é a pessoa mais importante do mundo. Por que não tentar fazer com que cada um dos seus clientes se sinta assim também?

Pense em como você gostaria que a sua mãe e o seu pai fossem atendidos. Você gostaria que eles fossem servidos em um restaurante por um garçom incompetente com uma atitude desprezível? Você gostaria que eles saíssem frustrados porque o caixa do banco não sabe responder as perguntas deles ou lhes dar informações precisas? Você gostaria que eles fossem deixados, durante dez minutos, na espera de um atendimento telefônico, forçados a ouvir uma musiquinha insuportável ou anúncios irritantes? Você gostaria que eles fossem tratados por um enfermeiro ou um médico complacentes? Esse é o tipo de pergunta que você e todas as pessoas da sua empresa deveriam responder todos os dias. Você pode achar que o Cliente A é um grosso. O Cliente B pode fazer o seu sangue ferver. Você pode ainda querer jogar um produto na cara do Cliente C. (Da mesma forma como algumas vezes ficamos frustrados ou enfurecidos com nossos próprios parentes, é normal se enervar com os seus clientes.) Nada disso importa. Faça com que cada um deles se sinta especial de alguma forma — não por ser um ato nobre, mas porque a sua carreira e a sua empresa se beneficiarão dessa atitude.

Uma vez, quando Priscilla e eu estávamos hospedados no City Loft Hotel na cidade de Beaufort, Carolina do Sul, me levantei de manhã cedinho e fui ao pequeno café ao lado do hotel. Fui recebido animadamente por uma jovem atendente, com um nome bastante adequado: Joy (alegria, em inglês).

— Bom dia, como posso ajudá-lo? — Joy perguntou, radiante.

Disse que queria um *muffin* de *blueberry* e um café para viagem.

— Posso esquentá-lo para o senhor? — ela quis saber.

— Esquentar o quê? — perguntei.

— O *muffin* — ela respondeu. Eles são mais gostosos quando estão quentinhos.

A maioria dos atendentes simplesmente enfiaria o seu *muffin* em um saco de papel e o jogaria no balcão, especialmente antes das 6 horas da manhã, quando as pessoas tendem a estar de mau-humor. Como Brad Paisley, cantor e compositor de música country, canta em uma canção chamada *The World*: "To the waiter at the restaurant/You're just another tip" (para o garçom do restaurante, você não passa de mais uma gorjeta). Curioso em saber o que motivava a atendente do café, perguntei o que a levava a se dar ao trabalho de se oferecer para aquecer o *muffin* para mim.

— Sempre penso no que a minha mãe iria querer se fosse a cliente — ela explicou.

Bingo! Se você pensa como a Joy, conta com uma enorme vantagem no jogo do atendimento. Durante toda a minha estadia naquele hotel, fiz questão de ir àquele pequeno café toda manhã porque era uma alegria ver a Joy. Eu não tenho dúvida de que outros clientes também fazem questão de voltar ao City Loft Hotel e àquele café.

O resto da canção de Brad Paisley apresenta outros exemplos que você não vai querer seguir, como o caixa de banco que o trata como se fosse uma carteira ambulante e o salão de cabeleireiro para quem você não passa de outra cabeça cheia de cabelo. Em vez disso, você quer que os seus clientes sintam o que Paisley diz à garota para quem ele está cantando: *"you are the world"*, você é o mundo.

Em certo sentido, todas as leis do atendimento envolvem fazer com que os seus clientes se sintam como se fossem "o mundo", tratando-os da maneira como você gostaria que os seus entes queridos fossem tratados. Assim, gostaria de me concentrar em duas partes específicas da experiência do cliente, o começo e o fim. Aprendi como esses dois momentos são cruciais com a minha esposa e a mãe dela, que me contaram como gostam de ser tratadas quando entram em uma loja e ao sair dela. Faz sentido que a primeira e a última impressão tenham uma enorme influência sobre a impressão *duradoura* do cliente. Uma cordial recepção e uma agradável despedida podem deixar o cliente com a memória de uma experiência positiva, independentemente do que acontecer entre os dois momentos.

Os funcionários da agência do SunTrust Bank que utilizo são especialistas em fazer os clientes se sentirem especiais quando entram e quando saem do banco. Lela Johnson, a gerente da agência, dá o exemplo. Sempre que entro no banco, ela sai da sala dela para me cumprimentar e pergunta como está minha esposa. E, se me vê a caminho da saída, sempre faz questão de parar o que estiver fazendo para se despedir de mim. Essa hospitalidade toda não aumenta os juros que o banco me paga pelos meus investimentos, mas efetivamente aumenta o meu interesse em fazer negócios com a SunTrust.

Dessa forma, encorajo as pessoas que trabalham em todos os tipos de negócio, não só em lojas, hotéis ou restaurantes, mas em qualquer empresa — uma empresa de advocacia, uma prestadora de serviços financeiros ou uma matriz corporativa — a alocar um funcionário cordial e expansivo perto da entrada. Não deixe os clientes esperando; nesta era de alta velocidade, eles querem ser atendidos rapidamente. E ainda há um benefício adicional se você trabalha em uma loja de varejo: foi comprovado que, quando o funcionário olha os clientes nos olhos ao falar com eles, o índice de furtos em lojas cai acentuadamente. Só isso já poderia cobrir o custo de posicionar um funcionário na entrada.

E não se esqueça de concluir a interação de uma maneira que encoraje outra visita. Não importa se o cliente fez ou não uma compra, fechou ou não um acordo ou assinou ou não na linha pontilhada, não deixe de acompanhá-lo até a porta e agradecer-lhe pela visita. Mostre que você está grato e diga que espera que ele volte sempre.

Nessa mesma lógica, se você for um gestor e quiser que os seus colaboradores tratem os seus clientes como tratam os entes queridos, você não pode deixar de tratar os seus colaboradores como trataria os seus clientes. Pense nisso como a regra de ouro do atendimento ao cliente: trate os seus funcionários como gostaria que eles tratassem os seus clientes. Os clientes não querem só um bom produto, eles também querem se sentir valorizados, querem ser respeitados como indivíduos e querem uma conexão humana autêntica. Bom, é exatamente isso o que os seus funcionários também querem. E, se você lhes der o que eles querem, eles repassarão aos clientes.

Esse princípio simples e direto se aplica a cada funcionário da sua organização, inclusive a todos os que trabalham nos bastidores sem nunca ver um cliente. São essas pessoas que se certificam de que tudo está funcionando de acordo e que todos os recursos necessários para operar o seu negócio estão bem mantidos e fáceis de acessar.

Essas pessoas mantêm as instalações limpas e organizadas. Elas se encarregam de fazer as projeções e comprar materiais antes que eles acabem e mantêm a tecnologia de comunicações atualizada e em perfeitas condições de funcionamento. Elas carregam e descarregam os caminhões, estocam os depósitos e repõem as prateleiras. Não importa qual seja a função específica, esses funcionários fazem a diferença porque todas as tarefas deles afetam o nível de atendimento recebido pelo cliente. Pense neles como o pessoal que atua nos bastidores de um teatro; sem eles, os atores no palco não têm como trabalhar.

Uso o acrônimo VRE para descrever o que os funcionários desejam da administração: valorização, reconhecimento e encorajamento. O VRE é como um combustível sem custo e infinitamente renovável. Ele nunca se esgota, por mais que você o use, e, quanto mais desse combustível você der aos seus funcionários, mais eles terão na reserva para dar aos clientes. Se você dominar o hábito de verter o VRE em abundância aos seus funcionários, verá uma rápida melhoria tanto na satisfação dos funcionários quanto na dos clientes. Dessa forma, faça de tudo para que todos os gestores da sua organização distribuam o VRE generosamente. Se os seus gestores não souberem como fazer, ensine-os; se eles não conseguirem aprender, aloque-os a outro papel ou afaste-os da sua organização. Qualquer gestor que não souber distribuir o VRE não é bom para os negócios.

No início da minha carreira eu era considerado um bom gestor porque sabia como fazer as coisas acontecerem. Mas eu não sabia como tratar os meus colaboradores e essa deficiência não apenas impedia o meu progresso como também impedia o meu pessoal de prestar o excelente atendimento que os nossos clientes esperavam e mereciam. Felizmente, percebi essa falha e aprendi a importância de dar mais VRE aos meus funcionários e, em pouco tempo, os benefícios também se estenderam aos nossos clientes.

Quando as pessoas sentem que a organização se interessa por elas, elas desenvolvem autoconfiança e autoestima, qualidades que se traduzem em um bom desempenho. Já os funcionários que *não* são tratados com respeito, tendem a não respeitar o que fazem. Isso faz parte da natureza humana, da mesma forma como as pessoas que não se sentem amadas têm dificuldade de amar. Assim, se você quer que os seus clientes se sintam importantes, faça o que for necessário para que os seus funcionários também se sintam importantes. Testemunhei um excelente exemplo disso há pouco tempo, quando Priscilla e eu almoçávamos no Pentágono com o general Lloyd Austin, o vice-chefe do Estado-maior do Exército dos Estados Unidos. Quando terminamos o almoço, o general Austin pediu licença, levantou-se e caminhou até o garçom para lhe agradecer pelo serviço atencioso. Depois ele entrou na cozinha e agradeceu aos cozinheiros por preparar pratos tão saborosos. Se um general de alto escalão tem tempo para distribuir o VRE às pessoas que não têm como fazer nada para contribuir diretamente com o avanço da carreira dele, estou certo de que você também pode fazer isso. Saiba o que faz com que os seus funcionários se sintam importantes e valorizados e dê isso a eles.

Você não gostaria que a sua mãe fosse tratada assim?

REGRA 15

Seja como uma abelha

Nas minhas palestras e nos meus *workshops*, costumo ser apresentado como o homem que liderou as operações da Disney World durante dez anos. Depois, o apresentador normalmente discorre sobre como supervisionei 40 mil membros do elenco (funcionários) responsáveis por manter o bom funcionamento dos vários hotéis, parques temáticos, campos de golfe, shopping centers, centros de entretenimento e complexos esportivos da Disney World. Inevitavelmente alguém me pergunta: "Como você conseguia se manter a par de tudo?". A verdade é que eu não fazia ideia do que acontecia em cada canto daquele empreendimento gigantesco — como eu poderia? Mas o que eu sabia, a cada momento, era o seguinte: as muitas pessoas incrivelmente competentes que se reportavam a mim sabiam exatamente o que se passava em suas respectivas áreas de responsabilidade. O meu trabalho não era saber tudo o que acontecia, mas andar por aí ajudando cada um desses executivos, gestores e do pessoal de linha de frente a melhorar um pouco seu desempenho a cada dia.

O que me serviu de inspiração foi uma história sobre o fundador da empresa. Em uma visita à Disneylândia, uma menininha perguntou ao Walt Disney se ele ainda desenhava o Mickey Mouse. Walt respondeu que não desenhava mais os personagens que criou.

— O senhor ainda escreve histórias? — ela perguntou.

Walt respondeu:

— Não, também não escrevo mais histórias.

— Então o que o senhor faz? — a menina indagou, perplexa.

Walt pensou por um momento e depois explicou:

— Sou como uma abelha que voa de flor em flor, levando um pouco de pólen aqui e um pouco de pólen acolá e assim acumulo todo o mel no favo.

Com isso ele quis dizer que percorria todas as instalações da Disney polinizando a imaginação de cada funcionário para ajudá-los a ser mais criativos e produtivos.

Essa é uma boa regra para os gestores que desejam melhorar o atendimento ao cliente proporcionado por sua equipe, seu departamento ou sua empresa. Se você quer que o seu negócio prospere em um ambiente competitivo, precisa garantir que as coisas se mantenham sempre melhorando, todos os dias. Aprendi cedo na minha carreira que, sozinho, você só tem como melhorar algumas coisas, mas pode mover montanhas se espalhar essa intenção positiva a todas as pessoas do seu domínio. Os militares chamam isso de "multiplicador de forças", enquanto Walt Disney usava a expressão *"plus it up"*, referindo-se ao processo de melhoria contínua. O termo em si não interessa muito. Agora, imagine o nível do atendimento da sua organização se todos os membros da sua colmeia tiverem o hábito de coletar e espalhar boas ideias para melhorar o desempenho.

Da mesma forma como a natureza estaria condenada sem as abelhas, ocupadas em polinizar as flores, as organizações estarão condenadas sem seus líderes polinizando a mente dos funcionários e sem seus funcionários agindo da mesma maneira com seus colegas. Mas há uma diferença: para as abelhas, a polinização é um emprego sazonal, enquanto que, para aqueles que querem melhorar constantemente o atendimento prestado por suas equipes ou seus funcionários, trata-se de uma responsabilidade diária. Eles precisam acordar toda manhã prontos para polinizar. Quanto mais tempo passei em posições executivas, mais me convenci de que a minha maior responsabilidade era me conectar com o maior número de funcionários possível e oferecer o maior número de ideias sobre como melhorar as coisas. Algumas vezes, as minhas sugestões eram acertadas e outras vezes elas eram equivocadas. De qualquer modo, o diálogo estimulava uma nova forma de pensar sobre as coisas, promovia o questionamento e inspirava as pessoas ao meu redor a pensar em jeitos melhores de fazer as coisas.

Enquanto transita pela sua organização, não se limite a apontar os problemas. Encontrar defeitos pode ser contraproducente se a sua meta for espalhar o hábito do pensamento criativo. Procure se concentrar em como as coisas poderiam ser melhores. Mas não diga às pessoas diretamente como melhorá-las. Em vez disso, *pergunte*. O pessoal da linha de frente em contato direto com os clientes se sairá com ideias melhores do que as suas se você lhes der a liberdade de pensar e de se expressar sem medo.

Quando entrei na Disney World, tinha muita experiência no setor hoteleiro, mas nenhuma experiência com parques temáticos, além das poucas visitas que fizera com a minha família, então eu fazia muitas perguntas que as pessoas que trabalhavam para mim poderiam achar idiotas. Mas a minha ignorância acabou sendo uma bênção, já que não fiquei preso às amarras do "É assim que se faz", simplesmente porque *eu não sabia* como fazer. E a minha ignorância deu às pessoas com mais experiência a confiança e a coragem de apresentar ideias.

Essa é uma estratégia útil que qualquer gestor pode adotar, não importa qual seja o seu nível de experiência ou o *know-how* acumulado ao longo da sua carreira. A *expertise* é útil e valiosa, mas também pode engessar o pensamento inovador. "Porque sempre fizemos assim" é uma das piores respostas possíveis para a pergunta "Por que fazemos assim?".

Admito que nem todo mundo gostava de me ver metendo o nariz em suas áreas, andando por aí perguntando como seria possível melhorar as coisas. Mas fui persistente e acabei vencendo a resistência pelo cansaço e com o meu entusiasmo e respeito sincero pela *expertise* dos funcionários. Veja algumas das perguntas que eu fazia às pessoas quando chegava para polinizar suas áreas de trabalho. Recomendo vivamente que você as adapte ao seu negócio e às responsabilidades do seu cargo.

- » Por que vocês fazem assim?
- » Você acha que pode ter um jeito melhor?
- » Você já pensou em fazer de outro jeito?
- » Do que os seus clientes mais gostam no que diz respeito ao jeito como as coisas são feitas?
- » Do que eles *não* gostam?
- » O que você odeia ter de dizer aos clientes?
- » Se você pudesse mudar duas coisas na maneira como atendemos aos clientes, o que mudaria?

Você também pode elaborar uma lista de questões específicas a cada área. Por exemplo:

- » Qual é o tempo de espera médio dos clientes nos horários de pico?
- » Quais mercadorias se esgotam com frequência?
- » Quantos clientes em média você atende de manhã e quantos atende no período da tarde?
- » Existe alguma maneira de aumentar esses números?
- » Quantos desses clientes saem satisfeitos?
- » Qual porcentagem dos clientes são ocasionais e qual são clientes frequentes?
- » Como o seu tempo poderia ser utilizado de maneira produtiva nos horários de pouco movimento?

Perguntas como essas poderiam nunca ter sido feitas, e cada uma delas — e inúmeras outras — podem levar a maneiras criativas de melhorar as coisas. Quanto mais você aprender, mais ideias terá. E o melhor de tudo é que esse tipo de investigação não custa nada além de tempo e fará a confiança e a iniciativa dos funcionários ser reforçada.

Você também poderia estimular a melhoria contínua reunindo todas as abelhas de tempos em tempos para recarregar as baterias da imaginação. Agende sessões regulares de compartilhamento de ideias, talvez toda semana ou todo mês. Algumas das ideias geradas podem não ser relevantes no momento ou podem ser incipientes demais para uma aplicação prática. Anote tudo o que possa ser remotamente proveitoso e guarde essa coleção de ideias para consulta posterior. Nunca se sabe qual ideia se comprovará valiosa no futuro. Algumas vezes as melhores soluções surgem quando ideias aparentemente não relacionadas se encontram de maneiras inesperadas.

Lembre-se de que, não importa qual seja a sua posição na empresa, você é ao mesmo tempo a abelha e a flor. Os dois papéis são vitais e inter-relacionados. Quanto mais você se permitir ser polinizado, mais poderá polinizar os outros. Mesmo se *não* for um gestor, você ainda poderá polinizar o seu ambiente de trabalho com inspiração e ideias. Não importa qual seja o seu cargo ou posição, se quiser atender melhor aos clientes, comece a voar por aí em busca de maneiras melhores de fazer as coisas. Lembre-se: nunca é tarde para melhorar.

REGRA 16

Saiba a verdade, toda a verdade e nada mais que a verdade

Como disse Albert Einstein: "Não se deve confiar questões importantes a quem é negligente com a verdade em questões de menor importância". Não importa para qual empresa você trabalha ou exatamente o que você faz no trabalho, você está envolvido na questão extremamente importante de servir os seus clientes da melhor maneira possível. No que diz respeito ao atendimento, nenhuma verdade é pequena demais para ser negligenciada.

Se você não souber a verdade sobre o que os seus clientes precisam, querem, pensam e sentem, você não tomará as decisões certas para atendê-los bem. O que poderia ser mais óbvio? No entanto, muitas organizações não priorizam a busca pela verdade. Elas preferem passar seus dias em uma ignorância deliberada, deleitando-se na (falsa) convicção de que sabem tudo o que há para saber sobre os clientes. Nem sempre é agradável encarar a verdade, porque ela pode ter pontas afiadas. Mas, se você desconhecer tais pontas, elas podem feri-lo quando você menos esperar. Você verá o vermelho do sangue nos resultados financeiros quando os seus clientes fugirem correndo.

Uma razão para sair em busca da verdade, em vez de se limitar a esperar que ela venha até você, é que as pessoas não gostam de mudar. É verdade que alguns clientes adoram reclamar quando estão insatisfeitos — são esses os clientes que se destacam. Mas o que dizer daqueles que *não* reclamam por serem tímidos demais ou simplesmente por não gostarem de confrontos e não quererem causar problemas a ninguém? Na verdade, a maioria dos clientes prefere conformar-se com um atendimento menos que perfeito a entrar em confronto ou perder seu valioso tempo brigando. Também não estão dispostos a revelar a verdade a menos que algo muito grave ou custoso ocorra. Devo admitir que também sou assim. Quando o funcionário de uma empresa pergunta como foi a minha experiência, com muita frequência respondo: "Foi tudo bem", mesmo se não for o caso. Em algumas ocasiões, simplesmente não tenho tempo ou energia para explicar o que não me agradou. Em outros casos, eu já decidi nunca mais voltar a fazer negócios com aquela empresa, então para que me dar ao trabalho? É por isso que é necessário fazer de tudo para descobrir como os clientes *realmente* se sentem em relação ao atendimento recebido.

Segundo Oscar Wilde, "A verdade pura e simples raramente é pura e nunca é simples". Na minha interpretação, jamais devemos nos contentar com respostas fáceis e nunca devemos confundir meros fatos com verdades. É por isso que me esforço para identificar a verdade por trás dos fatos, seja no que se refere à minha vida pessoal, pública ou profissional. Esse também é um bom hábito a ser seguido para melhorar o atendimento ao cliente. A verdade é o que os clientes realmente sentem, não o que você ou os seus funcionários *acham* que eles sentem. Nas minhas palestras, costumo dizer: "Não acredite em tudo o que você pensa. Pelo menos metade disso provavelmente não é verdade".

Um dia ouvi uma frase que não esqueci: "Eu não deveria ter escutado a conversa escondido, mas algumas vezes esse é o único jeito de descobrir a verdade". Devo admitir que, ao longo da minha carreira, escutei muitos clientes escondido. Foi um hábito que desenvolvi quando fui garçom, no início da minha carreira. Quando percebi o quanto poderia aprender sobre os clientes bisbilhotando a conversa deles (é incrível o que as pessoas dizem na frente de um garçom), pude lhes oferecer coisas que eu os ouvia dizer que queriam e consertar outras sobre as quais os ouvia reclamar. Além disso, como ouvir sem ser notado me ajudava a conhecê-los melhor, fui capaz de oferecer aquelas pequenas coisas que eles nem *sabiam* que queriam, mas que acabavam se tornando a experiência mais prazerosa para eles. Depois de um tempo, notei que estava ganhando gorjetas acima da média e muitos clientes pediam para ser atendidos por mim quando voltavam ao restaurante. Nunca me esqueci disso.

Por ter aprendido o valor de saber a verdade, continuei bisbilhotando, mesmo em uma posição executiva e encarregado de operações enormes. Eu perambulava anonimamente pelos *lobbies* dos hotéis que eu gerenciava ou nos restaurantes que supervisionava como um espião, só observando e ouvindo. Na verdade, mesmo depois da minha vida corporativa, mantenho o hábito de bisbilhotar, porque aprendi muito com isso. Faço tanto isso que Priscilla costuma me repreender pela minha indiscrição.

É claro que há outras maneiras de saber a verdade além de espionar os seus clientes — a primeira delas é simplesmente perguntar o que você quer saber! Acredito que todo funcionário que tem contato direto com os clientes deve ser treinado para fazer perguntas visando revelar a verdade. Essas perguntas podem ser:

» O senhor encontrou tudo o que estava procurando?
» Posso ajudá-lo em mais alguma coisa?
» Como podemos melhorar?
» Fizemos alguma coisa da qual o senhor não gostou?
» Tem mais alguma coisa que poderíamos ter feito para melhorar a sua experiência?
» O que fazemos tão bem a ponto de o senhor decidir voltar?
» O senhor nos recomendaria ao seu melhor amigo ou aos seus entes queridos? Se sim, por quê? Se não, por que não?

Além disso, todo negócio deveria manter um registro de reclamações dos clientes. E não despreze o poder dos levantamentos tradicionais. Nos dias de hoje, é possível usar inúmeros recursos, como *apps* de *smartphones* e bate-papos na internet para descobrir o que os clientes realmente pensam de vocês. Mas nunca deixe de se aprofundar na investigação, ouvir com mais atenção e nunca se contente com a primeira coisa que ouvir. Com esse tipo de investigação, você está enviando a mensagem de que a sua empresa realmente se importa com os clientes.

    Nas palavras do Buda, "três coisas não podem ser escondidas por muito tempo: o Sol, a Lua e a verdade". Da mesma forma como o Sol e a Lua, a verdade se revelará mais cedo ou mais tarde. Se os seus clientes não lhe disserem a verdade, eles a dirão aos amigos — inclusive todos os amigos do Facebook —, o que pode marcar o começo do fim para o seu negócio. Não deixe que a verdade se revele nas páginas do Facebook ou nas mensagens do Twitter dos seus clientes. Em vez disso, faça de tudo para que ela seja revelada a vocês. A verdade vale ouro e cada cliente é uma galinha dos ovos de ouro.

REGRA 17

Ouça com atenção

Quando eu trabalhava na Marriott, em uma das minhas avaliações anuais de desempenho, o meu chefe, Karl Kilburg, sugeriu que eu fizesse um curso para melhorar as minhas habilidades de escuta. "Muitas vezes você não ouve o que eu digo", ele explicou.

Eu me pus imediatamente na defensiva e tentei convencê-lo do contrário. Com isso, tudo o que fiz foi provar que ele estava certo: ouvi as palavras dele, mas não *prestei atenção* ao que ele disse. Eu não pedi que ele elaborasse ou explicasse a ideia; em vez disso, automaticamente parti em minha defesa. Mais tarde, depois de me acalmar, pensei nas inúmeras vezes em que Priscilla me acusou de não ouvir. Não que ela me acuse diretamente, ela costuma dizer "Lee, está ouvindo?". Desnecessário dizer, não é bem uma pergunta. Percebi que Karl tinha razão: eu ainda tinha muito a aprender nessa área.

Se os seus clientes não sentirem que estão sendo ouvidos, não espere que eles sejam tão diretos quanto Priscilla e

Karl. Eles só retornarão o favor ignorando os seus convites para voltar. É por isso que recomendo que cada funcionário em contato com clientes ou compradores domine a arte da escuta. Acabei concordando com Karl e me matriculei em um curso de três dias que o departamento de recursos humanos da Marriott encontrou para mim. Foi uma das melhores coisas que já fiz para melhorar minhas habilidades de gestão e liderança. E também me ajudou em casa, apesar de eu ser forçado a admitir que nem sempre sou perfeito. Outro dia mesmo, Priscilla insistiu que eu fosse ao médico para ver se estava tudo bem com a minha audição. Quando cheguei em casa, informei os resultados dos exames: "Não tem nada de errado com a minha audição". A isso, ela comentou: "Então o problema é mais sério do que eu pensava". *Aquilo* eu escutei, em alto e bom som.

Deixar de ouvir verdadeiramente os outros é só um mau hábito, e um hábito que a maioria de nós tem em certo grau. É muito fácil falar demais e ouvir de menos. Felizmente, os hábitos podem ser mudados. É verdade que essa tarefa demanda tempo e esforço, mas o empenho se paga com uma maior satisfação do cliente.

Como todos nós, os clientes querem ser compreendidos. No entanto, emocionalmente o mais importante é que eles sintam que você *quer* compreendê-los e está verdadeiramente tentando entender o que eles querem, precisam, pensam e sentem. Eles podem perdoá-lo se você não os entender, mas eles jamais o perdoarão se você não se importar. E eles avaliam o seu nível de interesse pela extensão de como você os ouve.

Recentemente tive uma experiência frustrante com um jovem funcionário em uma famosa rede de *fast-food* perto da minha casa. Eu queria encomendar uns sanduíches, mas precisei ligar quatro vezes antes que alguém finalmente atendesse o telefone. Não foi a primeira vez que tive dificuldade de fazer um pedido naquela lanchonete de forma que, quando cheguei para pegar os sanduíches, tentei dizer educadamente ao jovem atendente o que tinha acontecido. Em vez de ouvir a minha justificada reclamação, ele imediatamente assumiu uma postura petulante e defensiva, dizendo que a política da empresa era atender aos clientes da lanchonete antes dos clientes que ligam para fazer encomendas, e o restaurante estava muito movimentado naquela noite. Não consegui engolir aquela explicação e escrevi uma carta ao CEO. Recebi imediatamente uma ligação do gerente da loja que confirmou as minhas suspeitas: *não* era a política deles atender os clientes da loja antes de atender o telefone. O funcionário tinha inventado uma desculpa só para me calar.

Aquele funcionário, claramente, desconhecia os princípios de um bom atendimento. Ele não só não se importou com o meu problema como não percebeu que aquele também era um problema *dele*. Não sei se ele sofreu alguma punição pelo incidente, mas, se ele tivesse simplesmente prestado atenção ao que eu estava dizendo e demonstrado um pingo de interesse, eu teria ficado quieto.

É curioso notar o quanto nos empenhamos para desenvolver nossas habilidades de expressão e ao mesmo tempo negligenciamos nossas habilidades de escuta. Quando estava na faculdade, fiz um curso de oratória. Eu sabia que saber falar bem seria uma habilidade importante na minha vida profissional. Eu também sabia que falar em público era aterrorizante para a maioria das pessoas e que, se eu pudesse de alguma forma superar esse medo tão comum, isso me daria uma vantagem. Nas vésperas da minha apresentação para a turma, fiquei tão aterrorizado que abandonei o curso. A ideia de ser observado e julgado foi demais para mim. Atualmente, eu vivo de dar palestras. Como superei o meu medo? Tive a sorte de receber excelentes conselhos de um professor de oratória e fui esperto o suficiente para colocar em prática as técnicas que ele me ensinou.

Também não deveria ser tão difícil dominar a arte de escutar. Existem técnicas para melhorar essa habilidade, mas poucas pessoas se beneficiam delas, porque raramente damos a devida importância a esse ato. Além disso, a maioria de nós acredita que já fazemos isso bem — ou pelo menos fingimos bem. A verdade é que a maioria das pessoas neste mundo frenético *não* sabe ouvir bem. E, por mais que acreditemos que fingimos bem, em 99% das vezes só estamos enganando a nós mesmos.

Veja algumas dicas para praticar a arte de escutar:

» Encontre um lugar adequado para ouvir. Tente conversar com o cliente em um local tranquilo, livre de distrações.
» Dê toda a sua atenção ao cliente. Mantenha o contato visual. Não interrompa. Não se envolva em outras tarefas. Não demonstre, com a sua linguagem corporal, que está impaciente ou distraído.
» Não tente prever o que o cliente dirá; você não é vidente.
» Se possível, faça anotações. Não presuma que vai ser capaz de lembrar tudo o que foi dito.

» Não responda antes de o cliente terminar de falar. Você pode até perguntar: "Tem mais alguma coisa que você gostaria de dizer?".
» Quando o cliente terminar de falar, reitere ou parafraseie o que foi dito. Por exemplo: "Acho que o senhor está dizendo que o liquidificador que comprou parou de funcionar direito e o senhor gostaria de substituí-lo apesar de já ter passado o prazo de devolução de 30 dias". Você pode não se lembrar de todos os detalhes, especialmente se a pessoa estiver com raiva ou ansiosa (ou ambos), mas reformular o que foi dito garante que você compreenda com clareza os pontos principais.
» Depois de verificar o que foi dito, faça perguntas adicionais para esclarecer os detalhes.
» A cada estágio, mostre ao cliente que você o valoriza e se interessa por ele.
» E, pelo amor de Deus, se o cliente reclamar, peça desculpas. Dizer que sente muito pode ser a melhor maneira de mostrar aos clientes que você se importa. (Veja a Regra 36, "Peça desculpas do fundo do coração".)

Mas a coisa não acaba por aqui. Saber ouvir requer prestar atenção não apenas ao que as pessoas dizem como também ao que elas *não* dizem e ao que elas estão *tentando* dizer mas não conseguem articular direito. Para fazer isso, você deve se manter absolutamente focado. Algumas vezes, os clientes se sentem infelizes com algum aspecto dos seus produtos ou serviços, mas não sabem explicar sua insatisfação. Alguns não sabem ao certo o que querem, enquanto outros sabem exatamente o que procuram, mas não conseguem descrever com precisão. E, em alguns casos, eles são reticentes porque têm medo de passar vergonha — como no caso de pessoas que precisam de suporte técnico e ficam constrangidas de admitir que se sentem intimidadas com a tecnologia ou até pessoas com problemas de saúde de natureza íntima. Não importa qual seja a razão, um ouvinte atencioso saberá quando o cliente não está dizendo tudo ou não está conseguindo encontrar as palavras certas. Descobri que a melhor maneira de trabalhar com pessoas assim é fazer perguntas e ouvir as respostas com atenção.

A sua investigação deve ser conduzida com muita diplomacia — com educação, paciência e gentileza. Pergunte ao cliente se ele gostaria de acrescentar alguma informação para que você possa entendê-lo e servi-lo melhor. Deixe claro que você realmente quer ouvir tudo o que ele tem a dizer e que nenhuma preocupação é trivial e nenhuma pergunta é tola. Faça com que os clientes se sintam seguros em revelar o que eles realmente estão pensando ou sentindo. Se você os deixar à vontade e fizer as perguntas certas, é uma questão de tempo para saber com clareza o que eles precisam e querem, seja um produto, um serviço, uma orientação ou um desabafo.

Como disse Stephen Covey em seu *best-seller Os 7 hábitos das pessoas altamente eficazes*, "Primeiro procure entender e só depois tente ser entendido". Ele sabia que os clientes que se sentem compreendidos têm mais chances de voltar e aqueles que *não* se sentem compreendidos procurarão uma empresa cujos funcionários sabem ouvir melhor.

REGRA 18

Não tenha vergonha de imitar

Você já reparou que algumas empresas alcançaram muito sucesso a partir da melhoria de uma grande ideia de outra empresa? Por exemplo, a Apple fez história quando lançou o mouse para os usuários de computador. Mas a empresa não inventou o mouse; foram os engenheiros da IBM. Steve Jobs viu o potencial da tecnologia, a adaptou ao design do computador da Apple e prosseguiu para encantar os clientes — e ao mesmo tempo revolucionar o universo dos computadores pessoais.

Você também pode melhorar o atendimento da sua empresa ou departamento de maneira similar, absorvendo ideias como uma esponja e adaptando-as aos seus propósitos. Você pode copiar um procedimento inovador, uma política criativa ou apenas uma frase simpática para deixar os seus clientes mais à vontade. Você pode até copiar algo indiretamente relacionado ao atendimento, como um programa de treinamento, um *upgrade* tecnológico ou o *layout* de uma loja de varejo ou ambiente de trabalho. Mas os melhores imitadores não se limitam a copiar; eles observam tudo o que os cerca, identificam as melhores ideias e descobrem um jeito ainda melhor de aplicá-las.

Apesar do que a sua professora da terceira série pode ter lhe dito, copiar não é trapacear, pelo menos não no mundo dos negócios. A menos que você esteja copiando algo protegido por direitos autorais ou de alguma forma patenteado, não existe uma lei contra pegar a ideia de outra empresa e adaptá-la às suas necessidades; se existisse, algumas das melhores inovações do planeta jamais teriam existido. Na verdade, *não* ser um imitador é que é trapacear — a si mesmo. Pense desta forma: assim que um dos seus concorrentes implementar um sistema de atendimento melhor ou inventar um jeito melhor de fazer as coisas, mais cedo ou mais tarde ele começará a roubar os *seus* clientes e, em pouco tempo, você vai desejar ter copiado a ideia quando teve a chance. Dessa forma, fique sempre ligado em tudo o que os seus concorrentes estão fazendo e não se acanhe em pegar as melhores práticas deles e correr para implementá-las na sua empresa ou departamento.

A hotelaria é um excelente exemplo de um setor que prospera com base na imitação. Hoje em dia, toda grande rede de hotéis possui um *check-in* e um *check-out* expressos, cardápios customizados de café da manhã, TVs de tela plana, salas de ginástica, programas de fidelidade e outras cortesias. Se você retirar o nome e o logo da empresa, poderá levar um hóspede a qualquer grande rede de hotéis e ele provavelmente não saberá dizer em que hotel está. Cada uma dessas inovações começou em algum lugar e hoje elas estão por toda parte, com as redes correndo para melhorar suas versões antes dos outros. Hoje em dia, nenhum hotel ousa *não* copiar e melhorar uma boa ideia, e quem se beneficia são os hóspedes, que precisam de um lugar confortável para descansar.

Quando percebi a importância da imitação, desenvolvi o hábito de observar com atenção e tomar notas de tudo o que eu via que poderia melhorar a minha vida pessoal ou profissional. Até hoje, quando vou a um hotel, restaurante, banco, aeroporto, consultório médico, shopping center ou a qualquer outro lugar, anoto o que vejo, penso em como posso implementar as ideias na minha vida ou as relato nas minhas palestras. Por exemplo, pouco tempo atrás, Priscilla e eu viajamos de férias para o Vietnã. Como tínhamos ganhado o pacote de viagem em um leilão beneficente em prol da pesquisa contra o câncer, ficamos no Six Senses Resorts & Spas. O atendimento era espetacular. Mas o que realmente chamou a minha atenção foram os travesseiros. O hotel oferecia *dezesseis* opções diferentes de travesseiros de todos os formatos e tamanhos e feitos de vários materiais, como espuma, plumas e cascas de pecã. Os hóspedes também podiam escolher travesseiros com essências, para ajudá-los a dormir melhor. Nunca vi cortesias como essas em qualquer outro hotel e olha que já viajei muito a trabalho e me hospedei em muitos hotéis. Se eu ainda trabalhasse em hotelaria, teria começado a copiar a ideia dos travesseiros assim que desembarcasse do avião. Mesmo assim, usei essa experiência para lembrar empresas de todos os setores de se manterem procurando novas ideias para impressionar os clientes.

Mais uma coisa: você não precisa se restringir aos concorrentes diretos na sua busca de ideias para imitar. Os melhores procuram boas ideias *fora* de seu setor e as ajustam aos seus próprios fins. Não importa qual seja o seu negócio, você pode aprender com a excelência sempre que a encontrar.

Veja algumas sugestões para encontrar boas ideias:

» Vá a um shopping center e visite o maior número possível de lojas, anotando todas as boas práticas de atendimento que encontrar. De volta ao escritório, repasse a lista e pense em como as melhores práticas poderiam ser aplicadas ao seu negócio.

» Oriente os seus funcionários ou colegas a compartilhar todas as práticas relacionadas ao atendimento que encontrarem por aí. Ofereça um prêmio para as cinco melhores ideias que puderem ser implementadas no seu negócio.

» Descubra qual empresa é melhor em fazer o que você gostaria de fazer melhor e estude o que e como ela faz. Faça uma visita. Converse com os funcionários e os clientes da empresa. Veja o que as pessoas estão falando sobre ela na internet.

» Mantenha-se informado sobre o que acontece no seu setor, lendo revistas especializadas, participando de conferências e pesquisando na internet. Nada substitui a experiência em primeira mão, mas não deixe de explorar todas as possibilidades.

» Cultive os relacionamentos profissionais. Ter uma rede de colegas é como estar matriculado em uma faculdade de primeira linha durante toda a sua vida. Consulte os seus colegas, submeta as ideias a eles e não hesite em lhes dar conselhos para que fiquem devendo um favor.

» Leia, leia e leia um pouco mais. Leia livros, revistas, artigos na internet, jornais e periódicos. Procure ideias em todos os artigos e todos os anúncios.
» Procure a companhia de pessoas bacanas de todos os tipos de negócios. Peça que elas falem sobre o que fazem. É quase certo que elas conhecerão coisas que você não sabe, mas deveria saber.

A imitação não é apenas a forma mais sincera de elogio como também é uma maneira inteligente de melhorar, especialmente se você souber adaptar com criatividade o que aprendeu para maximizar os resultados. Lembre que você não precisa ser o primeiro nem o maior, só precisa ser o melhor. E uma das chaves para ser o melhor é manter os olhos, ouvidos e a mente abertos o tempo todo. As ideias são de graça, então amplie as opções e agarre-as sempre que encontrá-las. Uma vez que apanhou uma grande ideia, pense em como fazer com que ela seja mais barata, melhor ou mais rápida.

Se você ainda duvidar da sabedoria da imitação, pense nisso da próxima vez que pedir seu café preferido. Muitos anos atrás, em uma viagem a negócios na Itália, Howard Schultz descobriu os pequenos cafés de bairro vistos por toda parte em Milão e Verona. Ele assistiu maravilhado os baristas moendo os grãos de café, tirando as doses de expresso, vaporizando o leite e servindo uma bebida quente e fumegante diferente de tudo o que ele já tinha visto. O que ele fez em seguida entrou para a história: pegou o que viu, aprimorou a ideia e a implementou, criando a Starbucks. Em 2011, Schultz foi eleito Empresário do Ano pela revista *Fortune*. Para mim, ele é um dos maiores imitadores da história dos negócios.

REGRA 19

Pesque onde os pescadores não estão

Warren Buffett, o investidor mais admirado do mundo, disse em uma ocasião que uma regra simples engloba toda a sua abordagem aos investimentos: "Seja cauteloso quando os outros são temerários, mas temerário quando os outros estão cautelosos". Esse é o outro lado da moeda da regra do imitador: olhe para o que os outros *não* estão fazendo e encarregue-se de fazer você mesmo. É como na pescaria, quando algumas vezes é melhor tentar a sorte onde ninguém mais estiver pescando.

Não é uma questão de ser diferente só por ser diferente — isso não o levará a lugar nenhum. As boas empresas se destacam sendo diferentes do *jeito certo*: identificando as necessidades não satisfeitas dos clientes e descobrindo uma maneira de satisfazê-las. Um exemplo de uma empresa que fez isso com sucesso é a Chick-fil-A. Quando S. Truett Cathy fundou a Chick-fil-A, ele não demorou muito tempo para perceber que todas as outras redes de *fast-food* serviam hambúrgueres, mas muito poucas serviam frango. É por isso que hoje a Chick-fil-A serve frango, frango e nada mais do que frango. Em que sentido isso é uma boa proposição de negócio? Pense assim: se você estiver com vontade de comer um hambúrguer, pode ir a qualquer uma das incontáveis redes de *fast-food* por aí. Mas, se quiser comer frango, terá menos opções e, se estiver nos Estados Unidos, sempre encontrará um Chick-fil-A por perto para matar a sua vontade.

A Southwest Airlines também se beneficiou da estratégia de fazer o que os outros não fazem. Por exemplo, ela é uma das poucas companhias aéreas que permitem que os clientes remarquem os voos sem cobrar nenhuma taxa — uma enorme vantagem para viajantes frequentes que precisam alterar datas e horários de voos. Se você cancelar um voo, é plenamente reembolsado por meio de créditos válidos por doze meses. E, diferentemente da maioria das outras companhias aéreas, eles não cobram pelo transporte de bagagens (até dois volumes). Mas você não precisa ser uma corporação gigantesca ou uma rede nacional para se destacar oferecendo um serviço que ninguém mais oferece. Vejamos o exemplo da Mollie Stone's Markets, a pequena rede de supermercados de São Francisco. Duas das nove lojas da rede — ambas localizadas em regiões marcadas por colinas íngremes e onde é impossível achar um lugar para estacionar — oferecem o que a empresa chama de Mollie Bus, um serviço para transportar os clientes e as suas compras da loja até a casa deles. As vans partem regularmente, de acordo com a demanda, e o serviço é gratuito para compras de 30 dólares ou mais. Dá para imaginar como o serviço foi bem recebido pelos moradores da região, especialmente pessoas com limitações físicas. E isso sem dúvida proporciona à Mollie Stone's uma enorme vantagem em um negócio altamente competitivo.

No seu dia a dia, cada vez que pensar algo como "Não seria ótimo se eles..." ou "Se ao menos eles oferecessem...", não deixe de anotar a ideia porque você pode muito bem transformá-la em uma inovação sem igual no atendimento. E, enquanto investiga o que os seus concorrentes estão fazendo, pergunte a si mesmo não apenas o que você poderia imitar como também o que poderia fazer de maneira radicalmente diferente. Ou quem sabe alguma coisa que seja o contrário do que eles fazem? Se os concorrentes estiverem tentando vender todos os produtos possíveis e imagináveis, como a Target ou o Walmart fazem, será que você não poderia se especializar em um só nicho? Se eles se vangloriam de ter um grande número de lojas espalhadas pelo país ou pelo planeta, será que você não poderia se consolidar em um único espaço oferecendo um serviço de entrega supereficiente? Se eles levarem três dias para fazer algo, será que você não conseguiria fazer hoje? Se eles atendem das 9 horas às 17 horas, que tal manter as portas do seu negócio abertas das 8 horas às 18 horas? Se eles cobram pela entrega, será que você não conseguiria entregar de graça ou por uma taxa simbólica? Se serviço de mensagens automáticas deles informar que eles retornarão a ligação dos clientes em 24 horas, será que você não poderia atender o telefone e cuidar dos clientes imediatamente? Se eles vendem o produto desmontado, será que você não poderia entregar o produto montado? Acho que já deu para entender. A ideia é descobrir o que os seus clientes não estão recebendo dos seus concorrentes e se encarregar de suprir essa demanda.

Neste mundo competitivo e com rápidas mudanças, as empresas que conseguirem satisfazer uma necessidade especial do cliente sairão vitoriosas. Se você precisar de ainda mais incentivo, basta se lembrar do *slogan* que ajudou a tirar a Apple do buraco e transformá-la em uma das empresas mais lucrativas do mundo: "Pense diferente".

REGRA 20

Lapide as palavras

"Cuidado com o que fala!", a minha mãe costumava dizer a mim e ao meu irmão. Ela se referia à nossa mania de usar palavrões, mas à medida que eu avançava na minha carreira, aprendi que aquela advertência tinha um sentido muito mais amplo. Quando utilizadas com determinados sentidos, *muitas* palavras podem ser agressivas ou ofensivas, não apenas os palavrões.

Como diz a *expert* em liderança, Frances Hesselbein, "Alguma vez você ouviu alguém dizendo: 'Mal posso esperar para finalmente ser um subordinado'?" Ela observa que a palavra *subordinado* significa inferior — e ninguém quer ser inferior —, então por que não usar uma palavra mais inspiradora ao se referir às pessoas que se reportam a você? Felizmente, muitos executivos já aprenderam essa lição e passaram a usar um termo mais digno, como "associados" ou "colaboradores", para se referir aos seus funcionários. Outro termo que gostaria de ver em extinção é "os meus subalternos", como na frase: "Os meus subalternos estão fazendo um excelente trabalho no atendimento ao cliente". A menos que você seja um rei ou uma rainha, eu sugeriria que você se abstivesse de usar essa expressão. As pessoas que trabalham com você não são "suas", mesmo quando você assina a folha de pagamento e tem o poder de demiti-las. Se você usar uma linguagem degradante para se referir a elas, elas se ressentirão, e esse sentimento se refletirá no modo como elas atendem os clientes.

Esses são apenas dois exemplos da importância das palavras no mundo dos negócios. As palavras têm o poder de desanimar ou motivar. Elas podem ferir ou curar. Podem começar ou impedir uma guerra. Um punhado de palavras simples tem o poder de descrever uma visão de vida, como quando Martin Luther King disse: "Eu tenho um sonho". As palavras criam imagens na nossa mente, para o bem ou para o mal, e aquelas das quais mais nos lembramos são as que tocam o nosso coração.

As palavras erradas podem, de forma lenta e segura, infectar a cultura de uma organização como se fosse um vírus. Se termos degradantes, aviltantes ou desencorajadores forem usados habitualmente, a moral despenca e a qualidade do atendimento também — e os clientes começam a sumir. Certa vez embarquei em um voo da Eastern Air Lines nas Bermudas nos anos 1980 e ouvi uma comissária de bordo dizer à outra: "Lá vêm os animais". Ela se referia aos passageiros. A Eastern foi à falência pouco depois daquilo. Aparentemente, os "animais" migraram para outras companhias aéreas e não fiquei nem um pouco surpreso.

As palavras que você usa para se referir aos clientes têm um peso enorme. É por isso que hoje muitas empresas chamam seus clientes de "convidados". Se você se referir às pessoas que usam os seus produtos ou serviços como os seus convidados, pode apostar que os seus funcionários — ou colaboradores — os tratarão de acordo.

As palavras utilizadas ao falar com — ou sobre — os seus clientes devem expressar respeito e interesse, como se cada cliente fosse a pessoa mais importante do mundo. Não esqueça que alguns termos que são perfeitamente adequados na sua vida pessoal *não* são apropriados para serem usados com os clientes. Por exemplo: "Então, pessoal, já decidiram o querem comer?" pode ser uma frase apropriada para falar com os seus filhos ou com um grupo de amigos assistindo futebol na sua casa, mas não deveria ser dita por um garçom a um casal jantando em um restaurante elegante. A palavra "pessoal" é informal demais e o "já decidiram" pode ser interpretado como pressão.

Uma das frases que a minha esposa considera mais irritantes é: "Tem uma Priscilla Cockerell esperando para vê-lo". Começar a frase com "tem uma" dá a impressão de ser igual a "Tem uma aranha na pia" ou "Tem um rato no sótão". Veja a diferença entre essa escolha de palavras e simplesmente dizer "Priscilla Cockerell está aqui para vê-lo".

No contexto do atendimento ao cliente, palavras com uma conotação otimista e confiante podem fazer maravilhas. Expressões como "sem dúvida", "com certeza" e "pode deixar" são muito superiores a "talvez". Outras dicas:

- » "Como posso ajudá-lo?" é melhor do que "O que posso fazer por você?"
- » "Eu lhe mostro onde fica" é muito mais prestativo do que "Fica ali".
- » "Será um prazer" é muito mais agradável do que "Claro" ou "Sem problema".
- » Em vez de "Isso não é da minha conta", tente dizer "Vou trazer alguém que sabe mais sobre isso do que eu".

A linguagem que faz o cliente se sentir seguro e confiar em você é sempre positiva, educada e respeitosa. As palavras certas podem fazer milagres, então não deixe de usá-las com sinceridade.

REGRA 21

Fique sempre à disposição

Quando Priscilla e eu decidimos trocar os azulejos da nossa cozinha, levamos um tempão para escolher o padrão perfeito. Em uma visita a uma loja de azulejos, dois acontecimentos nos encantaram. Em primeiro lugar, a gerente da loja ouviu com atenção tudo o que tínhamos a dizer e nos direcionou rapidamente ao que nos pareceu ser o azulejo perfeito. Mas, antes de batermos o martelo, queríamos a opinião do nosso empreiteiro, Wyatt Anderson. Telefonamos para ele da loja e, sem hesitar, ele disse: "Fiquem aí que eu já vou". Ele chegou em menos de 30 minutos, analisou o azulejo e concordou com a nossa escolha. "Acho que ficará muito bom", ele opinou.

Wyatt tomou a atitude que todos deveriam ter se quiserem elevar a satisfação do cliente a níveis astronômicos: ele se prontificou imediatamente a nos ajudar. Largou tudo o que estava fazendo e fez muito mais do que o esperado.

Depois disso, Priscilla e eu o recomendamos a qualquer pessoa de Orlando que esteja em busca de um empreiteiro.

Pode parecer óbvio que você deveria estar disponível aos seus clientes o máximo possível, mas o número de funcionários e empresas que se esquecem disso é simplesmente incrível. Você já foi a uma loja, um banco ou um lugar onde só faltou contratar um detetive para obter uma resposta à sua pergunta? Você já foi a um restaurante e quase foi forçado a gritar para receber o cardápio ou um copo de água? Isso jamais deveria ter acontecido e, em estabelecimentos que colocam o cliente no centro de seu universo, isso *jamais* acontece, porque os funcionários sabem que precisam se manter sempre à disposição.

Certa vez ouvi uma frase que expressa perfeitamente essa atitude: "Se tiver um cliente na loja, não fique no depósito". Todos os tipos de organizações e operações poderiam adotar esse lema. Se você parar para pensar, ele se aplica até a serviços *on-line*. Mesmo se o seu negócio for principalmente *on-line*, você vai precisar de alguém de prontidão para atender o telefone se um cliente ligar com uma dúvida e de alguém à disposição caso aconteça algum problema no seu site.

Isso não se aplica apenas ao *staff* de linha de frente. Não importa qual seja o seu cargo ou a sua posição, você nunca será importante o suficiente para se isolar. Na verdade, quanto maior for a sua autoridade, mais crucial será a sua visibilidade e disponibilidade. Quando um funcionário encontra um problema, como um cliente irritado ou uma solicitação que ele não tem o conhecimento ou a autoridade suficiente para atender, alguém que de fato possui esse conhecimento e autoridade deve estar sempre por perto e de prontidão. Para um cliente, ouvir a resposta "Vou chamar o gerente" já ajuda em muito a reduzir a tensão. Mas a tensão voltará com toda a força se ele for obrigado a esperar... esperar... e esperar um pouco mais até o gerente finalmente aparecer. E a panela de pressão pode estourar se o funcionário voltar dizendo "Sinto muito, o meu gerente não está disponível no momento". O que poderia ser mais importante do que se manter disponível a um cliente ansioso que requer atenção imediata?

Hoje em dia, com todos os nossos *smartphones* e dispositivos de comunicação, qualquer pessoa que diga que não pode ser contatada está transmitindo a mensagem de que não *quer* ser contatada. Uma vez, quando não atendi a uma ligação de Priscilla, ela indagou: "Quem poderia ser mais importante do que eu?". Só há uma resposta para essa questão — ninguém —, então aconselho que você sempre atenda às ligações das pessoas que ama. No contexto dos negócios, os seus clientes são as pessoas mais importantes do mundo e você deveria buscar se manter tão disponível para eles quanto à sua esposa ou ao seu marido. Uma vez aprendida essa importante lição, passei a instruir meus colaboradores do escritório a não me interromperem se eu estiver em uma ligação com um cliente ou com a minha mulher. Se você acha que atender ligações dos clientes é indigno da sua posição, você provavelmente está demonstrando a atitude errada também de outras maneiras.

Não importa qual seja a sua posição na empresa, manter-se disponível também significa estar preparado para arregaçar as mangas e ajudar a cuidar dos clientes quando for necessário. Em empresas com a reputação de oferecer um excelente atendimento ao cliente, os gestores estão sempre na linha de frente botando a mão na massa. Uma das razões que permitiram que o índice de visitantes fiéis da Disney World chegasse às alturas foi a política da empresa que instituía que os gestores de linha de frente deveriam passar 80% do tempo no parque. Na Southwest e na JetBlue, os gestores chegam a ajudar a limpar as aeronaves! Não interessa se isso não consta na sua descrição de cargo. Deveria constar. Essa atitude não apenas leva a um ambiente de trabalho mais feliz e unido, como também, se você ocupar uma posição de autoridade, garanto que a sua atitude cooperativa contagiará todas as pessoas ao seu redor. Os leitores do meu último livro, *Criando magia*, se lembrarão de que uma das minhas lições de liderança é tomar cuidado com o que você diz e faz, porque, como um líder, você está sendo observado e julgado a cada segundo do dia. Quando os seus colaboradores o veem trabalhando com o pessoal de linha de frente e lidando diretamente com os clientes, sempre pronto para ajudar, eles entenderão rapidamente a mensagem e imitarão a sua atitude voltada ao atendimento.

    Se você for um alto executivo de uma grande empresa, pode não ter tempo para sair por aí limpando aviões e não conseguir atender a todas as ligações dos clientes. Mas, mesmo se os seus clientes não puderem falar com você 24 horas por dia e sete dias por semana, você continua sendo responsável por garantir que eles tenham como falar com *alguém* capaz de ajudá-los. Eles podem não ter a chance de desabafar ou dar uma sugestão diretamente a você, mas devem conseguir se comunicar facilmente com a sua organização, de maneira personalizada e com a devida atenção. E não estou falando de um formulário genérico de contato no seu site. Substitua o formulário frio por um número de telefone e disponibilize uma pessoa de verdade para atender a ligação.

Pouco tempo atrás ouvi um anúncio em um programa da PBS que começava assim: "Este *podcast* tem o apoio do Allied Bank, comprometido com o atendimento ao cliente, que oferece a opção de falar com um ser humano a qualquer hora no [número de telefone] discando zero". É muito expressivo que um grande banco tenha optado por usar seus preciosos segundos de tempo de propaganda para prometer que uma pessoa de verdade atenderá ao telefone, em vez de, digamos, afirmar "que oferece boas taxas de juros" ou "que você sempre poderá encontrar consultores financeiros para ajudá-lo". Aprenda com eles. As pessoas gostam de falar com outras pessoas e não com máquinas, então não deixe de disponibilizar pessoas para conversar com os clientes. Sempre que ligo para a Smith, Carney & Co., a empresa de contabilidade de Oklahoma City que prepara os meus impostos há anos, uma recepcionista atende prontamente a minha ligação e me transfere ao meu contador, Joe Hornick. Outro dia disse a Joe o quanto eu apreciava poder ouvir uma voz humana atendendo o telefone. Ele me contou que eles pensaram em instalar um sistema automatizado de atendimento telefônico, mas decidiram não fazer isso. Eles perceberam que qualquer um pode calcular impostos e que, se eles quisessem manter os clientes, precisariam se concentrar num excelente atendimento. Os meus corretores da Bolsa, Larry Reed, Mara Levitt e

Brian Coatoam, da Merrill Lynch, fazem a mesma coisa: atendem ao telefone. Enquanto eles fizerem isso, continuarei a fazer negócios com eles e a indicá-los a outras pessoas.

Também sugiro incluir um endereço de correspondência no seu site e o seu nome, para que os clientes possam escrever para você. Você pode não acreditar, mas algumas pessoas ainda preferem mandar cartas e, como é raro nos dias de hoje divulgar um endereço de correspondência, isso ajudará a sua empresa a se destacar. Na Disney, eu recebia e lia mais de 700 cartas por mês e essa postura era vista na empresa como fidelidade do cliente e resultados financeiros.

Graças, em parte, aos avanços nas comunicações móveis, hoje em dia temos dezenas de maneiras de nos manter à disposição. Identifique as maneiras que fazem mais sentido para as suas circunstâncias e certifique-se de que todas as pessoas da sua equipe façam o mesmo. Se você quiser entrar em contato comigo, basta visitar meu site, <www.leecockerell.com>. Lá você encontrará o meu endereço de correspondência, meu e-mail e o número do meu celular.

Quando você me ligar, atenderei o telefone pessoalmente.

Seja sempre aquele que dá e não aquele que recebe

Na Introdução, contei como a minha neta Margot, então com 12 anos, me disse que a primeira regra do atendimento ao cliente é "seja bonzinho". Bom, quando contei que eu iria citá-la neste livro, Tristan, o irmão de 10 anos de Margot, anunciou que também queria aparecer no livro.

— Então é bom você me dar uma boa resposta — eu o desafiei. — O que é um bom atendimento para você?

Sem hesitar, ele respondeu:

— Quando você atende, tem de ser sempre aquele que dá.

Como é que as crianças sacam a ideia com tanta facilidade enquanto tantos adultos não conseguem entender de maneira alguma? Para Tristan, é uma pura questão de bom-senso que é melhor ser aquele que dá. Ele adora ajudar os outros. Peça a ele para fazer alguma coisa e o rosto dele se ilumina. Na verdade, talvez nem seja necessário pedir. Uma das professoras dele contou à minha nora, Valerie, que um dia Tristan a viu levando um monte de pacotes para o carro e correu para perguntar se podia ajudar. No nosso mundo tão individualista, não seria ótimo se todos os atendentes fossem um pouco mais como Tristan?

Se você perguntar a alguns gestores medianos ou até a CEOs o que eles consideram um bom atendimento, provavelmente começarão a discorrer sobre os serviços e as cortesias oferecidas pela empresa:

» Ficamos abertos 24 horas por dia.
» Fazemos entrega em domicílio.
» Temos assentos de couro para os clientes preferenciais.

Esses são exemplos de serviços, não de atendimento. O bom atendimento é aquele em que as pessoas dão seu tempo, sua energia e sua compaixão com pouca ou nenhuma expectativa de receber algo em troca. Na minha opinião, não faltam serviços no mundo dos negócios; o que precisamos é de mais atendimento por parte de pessoas que gostam de dar.

Tive a chance de presenciar a atuação de pessoas sinceramente generosas alguns anos atrás, quando Priscilla ficou tão doente que quase morreu. Ela está muito bem agora, graças em grande parte aos enfermeiros e outros colaboradores do Orlando Health, e graças, especialmente, a seu cirurgião, o doutor Paul Williamson. O doutor Williamson é considerado o melhor cirurgião colorretal de Orlando, não apenas por sua competência técnica. Conhecemos ex-pacientes que batizaram os filhos em homenagem a ele de tão encantados ficaram com sua compaixão e abnegação no atendimento diante de crises médicas. Nunca me esquecerei do que ele disse a Priscilla em sua primeira consulta. Ela estava muito apreensiva porque sua cirurgia anterior não apenas foi um fracasso como havia piorado seu quadro. Ele a olhou direto nos olhos e disse: "Priscilla, você vai ficar bem. Você é o tipo de paciente que eu adoro ajudar".

Algumas vezes, ser a pessoa que dá simplesmente significa dar confiança e segurança, e foi exatamente o que o doutor Williamson fez. Nós saímos da clínica sabendo que estávamos em boas mãos — e esse é um sentimento que *todo* cliente quer, não apenas quando uma vida está em jogo.

Priscilla passou 64 dias no hospital, seguidos de vários meses de recuperação em casa. Quando ela finalmente se recuperou, apesar da minha alegria, eu estava exausto, esgotado e deprimido. Eu tinha vivido 65 anos sem passar nem um único dia deprimido, mas, de repente, a depressão me abateu como uma montanha nos meus ombros. Tive a sorte de encontrar outro profissional generoso: o doutor Roderick Hundley, um psiquiatra cuja empatia se compara à sua competência. O doutor Hundley não apenas diagnosticou o meu problema em uma hora e prescreveu o tratamento e o medicamento corretos como me disse que eu poderia entrar em contato a qualquer hora, 24 horas por dia e sete dias por semana, e me deu seu número de casa, seu número de celular e seu endereço de e-mail. Além disso tudo, ele me deu esperança, compaixão e a segurança — as quais eu precisava desesperadamente — de que tudo ficaria bem.

Como você poderia aplicar esses exemplos aos seus clientes? E aos seus funcionários? Não se esqueça de que, se quiser que sejam generosos com os clientes, você precisa ser generoso com eles.

Sei que nem sempre é fácil seguir a regra de Tristan e dar generosamente, sem pensar no retorno. Durante a longa recuperação de Priscilla, fui seu cuidador em período integral. Durante grande parte daquele período, ela não conseguia sair da cama sem assistência. Ela não conseguia se banhar, lavar os cabelos e nem ir ao banheiro sem ajuda. Eu nunca ficava fora de casa por mais de 15 minutos porque queria estar presente se ela precisasse de alguma coisa e ela precisou de muita ajuda. Não vou mentir: foi duro. Precisei ser aquele que se dá todos os dias, o tempo todo. Priscilla nem sempre foi uma boa paciente e eu nem sempre fui um bom cuidador. Mas a verdade é que cuidar dela foi a tarefa mais gratificante que já realizei. A experiência me levou a descobrir a verdade naquilo que os sábios sempre disseram: é melhor dar do que receber e pensar nos outros antes de pensar em si mesmo. E ainda ganhamos o bônus de nos conhecermos melhor do que nunca e descobrimos que nos amávamos mais do que percebíamos.

Não é preciso acreditar no que digo — e nem no que os filósofos e os santos dizem. Há muitas pesquisas confiáveis sobre o tema. Alguns estudos constataram que as pessoas que trabalham servindo aos outros, por exemplo, ajudando aos necessitados, são mais saudáveis, mais felizes e vivem mais. As pesquisas também mostram que servir aos outros melhora o humor, aumenta a satisfação com a vida, reduz o estresse e fortalece o sistema imunológico. Um relatório recente consolidando vários importantes estudos constatou que pessoas envolvidas em trabalhos voluntários têm maior longevidade, menos depressão e menor incidência de doenças cardíacas.

Sei o que você está pensando: o que cuidar de um cônjuge doente ou trabalhar de voluntário num hospital ou abrigo de sem-tetos tem a ver com os negócios? No trabalho, só estou cumprindo a minha obrigação e sou pago por isso. Apesar de ser verdade, você ainda pode optar por cumprir essa obrigação de maneira abnegada, dando o seu tempo, a sua energia e a sua compaixão aos seus clientes.

Entendo que, às vezes, atender aos clientes pode ser uma tarefa pura e simplesmente horrível. Eles podem chegar mal-humorados. Eles podem ser egocêntricos e fazer exigências absurdas. Eles podem ser desagradáveis e agressivos. Quando isso acontecer, veja a situação como uma oportunidade para doar, mesmo que seja algo tão trivial quanto um sorriso para melhorar o humor, um elogio para massagear o ego ou uma dica para atenuar a frustração que seus clientes podem estar sentindo. No fim das contas, isso lhe dará uma enorme vantagem. Os clientes sairão com sentimentos positivos em relação a você e a sua empresa e haverá muito mais chances de vocês voltarem a fazer negócios. Você verá que também se sentirá melhor consigo mesmo e com a sua empresa. *Você* sai sabendo que deu tudo de si. *Você* sai sabendo que foi além das expectativas e serviu o cliente da melhor maneira possível. Essa é melhor recompensa de todas. E os retornos dessa atitude em termos de melhores resultados financeiros são a cereja em cima do bolo.

Dou palestras a vários grupos diferentes e conheço muita gente cuja descrição de cargo envolve servir as pessoas com abnegação em hospitais, escolas, órgãos públicos e outras organizações. Em 2011, por exemplo, fui ao Iraque para conduzir 13 *workshops* de liderança a militares e ao pessoal do Departamento de Estado dos Estados Unidos e, no ano seguinte, fiz palestras para SEALs da Marinha norte-americana em sua base na Califórnia. Posso afirmar, sem sombra dúvida, que há milhares de pessoas por aí — militares, enfermeiros, professores voluntários trabalhando em organizações sem fins lucrativos — dedicadas a dar tudo de si. Você também pode adotar essa atitude na sua organização e garanto que vai se sentir muito bem com isso.

REGRA 23

Se eles pedirem um cavalo, dê um carro

Henry Ford supostamente disse: "Se eu tivesse perguntado às pessoas o que elas queriam, elas teriam dito que queriam cavalos mais rápidos". O que ele quis dizer com isso é que os clientes nem sempre sabem o que querem ou de que precisam até que alguém o inventa — no caso de Ford, o automóvel. Muitos grandes empreendedores e inventores assinam embaixo. Steve Jobs, por exemplo, rejeitava as discussões de grupo porque não acreditava que os consumidores saberiam quais produtos queriam antes de serem inventados.

Certa vez, entrei em uma pequena loja na cidadezinha de Vail, Colorado, para comprar um cortador de unhas. Enquanto registrava a venda, o caixa perguntou se eu gostaria de tomar um café. Eu não sabia que queria tomar um café até ele plantar a ideia na minha cabeça, e o aroma fresco da bebida emanando do bule atrás do balcão me convenceu. Acontece que eu de fato queria tomar um café. Como seria de se esperar, fiz questão de voltar àquela loja várias vezes depois daquilo.

Não importa o negócio de sua empresa, computadores de topo de linha ou cortadores de unha, adiantar-se às necessidades dos seus clientes é uma das melhores maneiras de conquistar uma vantagem competitiva. E, no âmbito do atendimento ao cliente, isso é ainda mais importante, por resolver os problemas *antes* de eles surgirem. Essa postura também envia a mensagem de que você entende os seus clientes e se empenha em refletir sobre o que os fará felizes.

Veja outro exemplo de como adiantar-se às necessidades dos clientes pode surpreendê-los e encantá-los. Eu estava jantando no Four Seasons Resort em Dallas com o meu parceiro de negócios Vijay Bajaj, sua esposa, Reshma, e o filho de 10 anos do casal, Armaan. Eles tinham acabado de voltar de Londres e estavam exaustos devido à diferença de fuso horário. Ao longo do jantar, Armaan foi ficando sonolento. Sua cabeça estava prestes a despencar no prato quando, do nada, nosso garçom chegou com um cobertor e um travesseiro. E, antes de podermos dizer uma palavra sequer, ele juntou duas poltronas para formar uma cama do comprimento perfeito para que Armaan se deitasse. Isso que é se adiantar! O garçom vira que Armaan estava cansado e previu que ele precisaria se deitar antes do fim do jantar. E, de alguma forma, o restaurante se adiantou a esses momentos e decidiu disponibilizar cobertores e travesseiros.

Uma das melhores maneiras de aprimorar sua capacidade de se antecipar aos acontecimentos é observar (ou ouvir) os clientes interagindo com os seus colegas de trabalho ou funcionários. Observe o que não dá certo, ou *quase* não dá certo, e se pergunte como poderia evitar a situação. Note em quais situações os clientes ficam impacientes ou parecem frustrados. Como seria possível evitar isso e como os seus colegas poderiam ter agido melhor diante da irritação dos clientes?

Recomendo reunir-se com a sua equipe algumas vezes por ano com a única finalidade de conduzir um *brainstorming* para decidir quais produtos ou serviços os seus clientes vão querer no futuro. Todas as pessoas da equipe devem se sentir à vontade para apresentar qualquer ideia imaginável e alguém deve ser encarregado de anotá-las em um *flip chart* ou quadro branco. Acolha todas as ideias sem reprovação, crítica ou análise. Pode não ser prático ou prudente implementar imediatamente todas as ideias — ou até mesmo a maioria delas —, mas tudo bem. Não deixe de mantê-las em um arquivo e repasse as ideias periodicamente. Uma ideia fraca ou absurda hoje pode se revelar uma poderosa inovação depois de um ano.

Lembre-se de que a tarefa de se adiantar às necessidades do cliente nunca tem fim. Os clientes têm memória curta e seus desejos estão constantemente mudando de acordo com as circunstâncias, o avanço da tecnologia e as novas expectativas. Muitas vezes, quando uma necessidade é satisfeita, os clientes se acostumam e a substituem por uma nova necessidade. Se você se adiantar à necessidade que os seus clientes têm de um automóvel — mesmo se eles disserem que querem cavalos —, pode ter certeza de que eles honrarão a *sua* necessidade de mantê-los como clientes fiéis.

REGRA 24

Não se limite a fazer promessas, dê garantias

"Não faça promessas que você não pode cumprir." Você provavelmente já ouviu isso da sua mãe e, como a maioria dos conselhos de mãe (veja a Regra 5, "O que a sua mãe faria?"), você só tem a ganhar ao seguir essa máxima tanto na vida profissional quanto pessoal. Não importa que tipo de produto ou serviço a sua empresa oferece, nenhum cliente deveria ser forçado a descobrir o que esperar de vocês. Então, deixe claras as suas promessas, absolutamente claras, e divulgue-as tanto aos seus clientes *quanto* aos seus colegas e funcionários. Faça cartazes e coloque-os em um lugar de destaque, onde todos possam vê-los, tanto nas suas instalações quanto no seu site.

O supermercado Publix do nosso bairro tem na parede um cartaz de um metro de altura numa posição que os clientes não podem deixar de ver a caminho dos caixas. O cartaz diz:

A PUBLIX GARANTE

Nunca o decepcionaremos conscientemente. Se por qualquer motivo você não ficar totalmente satisfeito com a sua compra, ficaremos felizes em reembolsar imediatamente todo o seu dinheiro.

Uma garantia como essa não dá espaço para mal-entendidos. Ela é absolutamente clara e todos os funcionários são instruídos a cumpri-la prontamente e com alegria. Uma garantia clara como essa anuncia que o supermercado assegura os seus produtos e serviços e confia na sua capacidade de satisfazer as necessidades dos seus clientes. E o gerente daquela loja da Publix, Steve Hungerford, reforça a mensagem passando grande parte do tempo nos corredores da loja ajudando os clientes e dando um excelente exemplo para toda a equipe.

Agora, vejamos um bom exemplo de uma promessa, da Pearle Vision, que ainda precisa ser trabalhada:

Queremos que você fique feliz com os seus novos óculos.
É por isso que os consertaremos ou substituiremos gratuitamente em até 30 dias. Esta garantia não cobre danos acidentais, arranhões ou quebra.
Válido nas lojas participantes.

Note a última frase. Isso significa que qualquer uma das franquias da Pearle pode optar por não honrar a garantia. Se dependesse de mim, seria proibido usar a frase "Válido nas lojas participantes". Não entendo por que uma operação de franquias não insistiria que todas as lojas honrassem a mesma garantia. A penúltima frase também não empolga muito. Talvez seja de fato necessário impedir as pessoas de solicitarem um reembolso depois de pisar nos óculos ou passar de carro por cima deles. Mas não seria melhor dizer o que a garantia *de fato* cobre do que listar os casos nos quais ela não será honrada? Uma garantia bem elaborada não apenas tranquiliza os clientes como também constitui uma forma de *branding*, por declarar abertamente o que a sua empresa está disposta a fazer e até onde ela está disposta a ir.

Uma excelente garantia de atendimento deveria ser exibida em destaque e ser fácil de entender, além de cobrir os pontos a seguir:

» Incluir detalhes explícitos: "Os seus novos pneus serão instalados em até 60 minutos" é muito mais poderoso do que "Instalaremos os seus pneus o mais rápido possível". Ainda mais poderoso seria afirmar "Se os seus pneus não forem instalados em até 60 minutos, a instalação sairá de graça". Esse tipo de clareza informa ao cliente exatamente o que esperar e elimina discussões provocadas por mal-entendidos.

» Informe aos clientes exatamente *como* eles devem entrar em contato para solicitar o cumprimento da garantia. Em um site? Qual é o endereço do site? Por e-mail? Qual é o endereço de e-mail? Por telefone? Para qual número eles devem ligar? Por carta? Qual é o endereço postal? Pessoalmente? Onde?

» Minimize as exceções. Uma garantia deveria ser *incondicional*, como a garantia oferecida pela Publix.

As garantias com uma lista interminável de exceções dificilmente valem o preço do papel na qual foram impressas.

» Faça a diferença para os seus clientes. Se o seu cliente for, em geral, muito ocupado, uma garantia de um serviço mais rápido fará uma grande diferença para ele. Se o seu cliente se importa mais com a comodidade ou com a praticidade, ajuste a sua garantia de acordo.
» Informe claramente qual é a restituição caso a garantia não seja cumprida. Se os clientes não ficarem satisfeitos, eles receberão um reembolso em dinheiro? Crédito para comprar na loja? Um produto ou serviço grátis da próxima vez em que fizerem negócios com você?
» Facilite o resgate da restituição. Não force os seus clientes a passar por um labirinto burocrático nem a preencher incontáveis formulários ou falar com uma dezena de estranhos ao telefone.

A moral da história é que os clientes querem saber que as empresas se importam, e uma boa garantia transmite essa mensagem. Mas até a melhor garantia do mundo sairá pela culatra se você a tratar apenas como um artifício de marketing e cumpri-la de má vontade. Em um excelente artigo da *Harvard Business Review* intitulado "The power of unconditional service guarantees", Christopher W. L. Hart escreveu: "Se a sua meta for minimizar o impacto da garantia sobre a sua organização e maximizar o impacto de marketing, você não terá sucesso". Isso foi escrito em 1988 e continua válido nos dias de hoje.

De acordo com um provérbio alemão, "as promessas são como a lua cheia; se não forem cumpridas imediatamente, elas se tornam menor dia após dia". Então jamais se esqueça do conselho da sua mãe: não faça promessas que você não pode ou não pretende cumprir.

REGRA 25

Trate todo cliente como se fosse um cliente fiel

Sempre que Priscilla e eu entramos no nosso restaurante preferido de Orlando, o Le Coq au Vin, Sandy, a coproprietária, nos recebe com um abraço e diz que está feliz em nos ver. Estou certo de que ela não está mentindo. Quando estamos acompanhados de amigos, nós os apresentamos e Sandy também parece feliz em vê-los. Ela nos conduz até a nossa mesa preferida. O marido dela, Reimund, que também é o *chef* do restaurante, sempre passa para nos cumprimentar e nos informar se ele preparou algum prato especial naquela noite. Algumas vezes ele nos manda uma garrafa de vinho — um vinho que ele sabe que gostamos. A comida é maravilhosa, mas o sabor em si não bastaria para nos manter voltando vez após vez. É o tratamento especial.

Sem dúvida, um dos aspectos de um excelente atendimento é encontrar maneiras de melhorar a experiência dos clientes fiéis a cada vez que eles voltam, como faz o Le Coq au Vin. Mas não podemos nos esquecer de outro aspecto, igualmente importante: até um cliente de primeira viagem pode ser tratado como um cliente VIP. Na verdade, a razão pela qual Priscilla e eu nos tornamos clientes fiéis daquele restaurante é que recebemos um tratamento especial desde a primeira vez. Ainda me lembro da nossa surpresa na primeira vez em que os proprietários nos chamaram pelo nome, se lembraram da mesa que escolhemos na nossa primeira visita ao restaurante e guardaram-na para nós quando liguei para fazer uma reserva para o jantar.

Não pense que isso se aplica só aos restaurantes sofisticados. Um dia desses, um amigo me contou uma história sobre uma visita ao café de seu bairro. O grupo na frente dele na fila estava levando muito tempo para decidir o que pedir e meu amigo começou a ficar impaciente. Foi quando ele viu uma mulher atrás do balcão acenando para ele se aproximar. Quando ele chegou ao balcão, ela lhe entregou o pedido de costume dele — um cappuccino descafeinado grande. Ele ficou perplexo. Ele não achava que alguém se lembraria dele, muito menos do que ele costumava pedir. Ele me contou que voltou àquele café com muito mais frequência depois daquilo. Todos nós gostamos de receber um tratamento especial e as melhores empresas satisfazem esse desejo para cada cliente que entra pela porta. Pouco tempo atrás, entrei por impulso em uma loja de varejo da Verizon Wireless. Eu estava insatisfeito com a minha operadora de telefonia celular e pensei em investigar outras alternativas. A mulher que me atendeu se mostrou tão animada, informada e focada que ainda me lembro do nome dela: Angela Pak. Ela me apresentou o aparelho perfeito para as minhas necessidades e me deu todo o tempo que precisava para me decidir. Em grande parte devido ao atendimento atencioso de Angela, decidi trocar de operadora, mesmo com o custo de algumas centenas de dólares para abandonar meu contrato anterior. A chave foi que ela identificou com rapidez e precisão exatamente o que eu precisava em um celular e encontrou rapidamente um jeito de satisfazer essa necessidade.

Você se surpreenderá com a facilidade de descobrir alguma característica ou aspecto especial de um cliente e usar esse conhecimento para dar a ele um tratamento exclusivo. Você pode observar o modo como um homem se veste, o sotaque de uma mulher, a linguagem corporal, o tom de voz, a revista que o cliente leva nas mãos, um trecho de conversa na qual você descobre que o casal está visitando a cidade pela primeira vez e que um deles gostaria de uma sobremesa ou uma taça de champanhe. Uma observação atenta também pode revelar o estado de espírito do cliente. Ele está impaciente ou com pressa? Se for o caso, empenhe-se para atendê-lo com mais rapidez. Ele parece preocupado? Dedique um tempo a mais para lidar com as preocupações dele. Ele parece deprimido? Talvez você possa fazer um elogio ou contar uma piada leve para melhorar seu humor. Esse tipo de estado de espírito não tem relação alguma com você ou a interação do cliente com a sua empresa, mas, se você estiver atento a isso, poderá descobrir como o cliente gostaria de ser tratado.

Em resumo, faça o que puder para que os clientes frequentes se sintam com se fizessem parte da família e para que os novos clientes se sintam como se fossem clientes frequentes. Você se lembra da canção de abertura do seriado de TV *Cheers*? Você também não gostaria de ir "onde todo mundo sabe o seu nome e fica feliz ao vê-lo?" Faça com que todos os seus clientes sintam que você está sinceramente feliz ao vê-los. Porque, não importa o que dizem, no que diz respeito ao atendimento, a familiaridade *não* leva ao descaso, mas sim a clientes fiéis.

Concentre-se no que é importante agora

Você deve se concentrar no que é importante agora se quiser que os seus clientes se sintam bem atendidos. O que importa agora são as necessidades, os desejos e os interesses deles. Não é limpar uma mesa no restaurante, dobrar as camisas deixadas no provador ou falar ao telefone enquanto o cliente está esperando. Não é fofocar com os colegas de trabalho. Não é assistir ao vídeo do bebê falante ou do panda dançante no YouTube. Tenho visto funcionários fazendo tudo isso e muito mais. Essas atitudes sugerem um negócio sem regras para o atendimento ao cliente ou que não as coloca em prática.

Com base na minha longa experiência pessoal, tanto como gestor quanto consumidor, posso dizer que não há nada mais desanimador do que um cliente sendo ignorado, mesmo que por alguns segundos, especialmente para cuidar de algum assunto não relacionado ao trabalho. É por isso que você deve prestar atenção aos seus clientes o tempo todo. É claro que, se você trabalha em uma loja de varejo, um restaurante, um banco ou qualquer outro negócio com contato direto com consumidores ou clientes, em alguns momentos você pode estar muito ocupado e as pessoas precisarão esperar para ser atendidas. Você não tem como evitar que os clientes entrem na loja quando você está ocupado atendendo outra pessoa. Mesmo assim, não deixe de concentrar-se no que é importante agora. E o que é importante agora? Naturalmente, o cliente que você está atendendo no momento é a sua maior prioridade. Mas você *também* pode mostrar aos clientes que eles foram vistos. Basta um aceno com a cabeça, um gesto, um breve contato visual ou um agradável "Só um momento. Fique à vontade". As pessoas querem ser reconhecidas. Ignore-as e elas o abandonarão ou ficarão tão irritadas e contrariadas que será impossível agradá-las quando você finalmente lhes der atenção.

Você pode achar que está fazendo o que deveria fazer ao limpar aquela mesa no restaurante ou dobrar aquelas camisas no provador. Você pode até estar seguindo um procedimento. Mas o importante agora é mais do que meramente concluir uma tarefa que precisa ser concluída ou executar uma transação de acordo com a sua descrição de cargo. O atendimento também inclui um aspecto emocional vital. Nas palavras do autor e consultor de negócios Stephen Denning, "O que importa não é fechar uma transação; o que importa é alimentar um relacionamento". Recentemente, em um aeroporto, eu era um dos aproximadamente 150 passageiros esperando no portão de embarque. O horário de decolagem se aproximava e começamos a nos questionar por que ainda não estávamos embarcando. Enquanto esperávamos, ansiosamente imaginando o que poderia estar acontecendo e esperando receber uma explicação, a atendente atrás do balcão começou a falar ao telefone, fazendo o possível para não olhar para nós. Ela claramente estava fazendo o trabalho dela ao falar ao telefone, mas não estava fazendo um bom trabalho em termos do "mais importante agora". Aquele telefonema era importante. Mas os passageiros ansiosos também. Bastaria uma simples pausa no telefonema e um breve anúncio, ou um aceno de mão e um contato visual com alguns de nós e a situação teria se acalmado. Em vez disso, no momento em que ela desligou o telefone, ela foi cercada de passageiros furiosos — alguns deles afirmando que jamais usariam aquela companhia aérea se pudessem.

Nem sempre é fácil saber o que é mais importante no momento. Isso requer discernimento — sensibilidade e algumas pessoas já nascem com essas qualidades e, se você for um gestor, são essas as pessoas que vai querer contratar. Mas, mesmo se nem todos os membros da sua equipe nasceram com a intuição para saber o que é importante agora, você ainda pode se certificar de que todos saibam o que é o mais importante a cada *agora* no que se refere a satisfazer as necessidades emocionais dos clientes. Todo o resto pode esperar.

REGRA 27

Faça do "assim que possível" o seu prazo de entrega padrão

Vivemos na era de gratificação instantânea. As pessoas querem o que querem e querem agora. O "assim que possível" passou a ser o prazo padrão na sociedade em geral e também deve ser adotado como um prazo padrão no atendimento aos clientes.

O velho *slogan* "velocidade mata" pode se aplicar para uma pessoa ao volante, mas não no mundo dos negócios. Em um mundo impaciente e acelerado, se puder ficar famoso por ser mais rápido do que os seus concorrentes, você terá uma enorme vantagem.

Pouco tempo atrás, cheguei em casa de uma viagem a negócios numa noite de sábado e liguei o computador. Em vez da minha área de trabalho de sempre, fui recebido por uma aterrorizante mensagem de erro que poderia muito bem ter sido escrita em uma língua alienígena. Decidi ir dormir e ligar o computador novamente no dia seguinte, na esperança de que o tempo cura os computadores da mesma forma como faz com outras mazelas. Na manhã de domingo, tentei novamente. E fui recebido pela mesma mensagem ininteligível. Eu precisava de ajuda urgente, porque tinha de trabalhar em um arquivo que estava naquele computador — e só naquele computador.

Então usei meu *smartphone* para procurar uma assistência técnica por perto que pudesse estar aberta numa manhã de domingo. O Google me apresentou uma longa lista de sites, cada um deles prometendo milagres no conserto de computadores. Liguei para os dois primeiros e fui atendido por gravações me orientando a deixar meu número e informando que eles ligariam de volta. Mas não diziam quando. Os outros dois informavam que estavam abertos de segunda a sexta-feira e me desejavam um bom fim de semana, sem ao menos me dar a opção de deixar um recado. Eu não estava tendo um bom fim de semana. Algumas horas depois, sem ter recebido nenhum retorno, voltei ao Google, onde vi um anúncio oferecendo atendimento 24 horas por dia e sete dias por semana. Liguei para o número e, para o meu assombro, um ser humano atendeu o telefone. Seu nome era Graham. Descrevi o meu problema o melhor que pude e Graham me instruiu a levar o computador para a casa dele. Quando cheguei lá, ele me disse que provavelmente conseguiria consertar o computador em 24 horas.

Às 16 horas *daquele mesmo dia*, Graham telefonou.

— O seu computador está pronto — ele anunciou — e funcionando sem problemas.

Foi quando percebi até que ponto é reconfortante ser atendido rapidamente quando a velocidade do atendimento pode fazer uma grande diferença para nós.

REGRA 27 – FAÇA DO "ASSIM QUE POSSÍVEL" O SEU PRAZO DE ENTREGA PADRÃO

Graham não apenas é tecnicamente habilidoso como também é um empresário esperto. Ele fez do "assim que possível" o seu prazo final e sabe que é muito melhor prometer de menos e entregar a mais do que o contrário. Essa estratégia pode ser aplicada a praticamente qualquer negócio. Você trabalha no varejo? Se achar que a mercadoria encomendada chegará na quarta-feira, diga ao cliente que chegará na quinta-feira e ligue dizendo que a mercadoria chegou antes do previsto. Tem uma oficina mecânica? Diga ao cliente que o carro ficará pronto às 17 horas e ligue às 14 horas dizendo que terminou o serviço mais cedo para o cliente. Você trabalha em finanças, seguros ou serviços bancários? Configure o sistema de atendimento automático do seu telefone para informar que o tempo de espera é de cinco minutos e atenda em dois minutos. Como aprendi com essa experiência de conserto de computador, poucas coisas são mais agradáveis do que a bela surpresa de ser atendido mais rapidamente do que esperamos.

Hoje em dia, o "assim que possível" é mais valorizado do que nunca. Então, convoque uma reunião com a sua equipe assim que possível e pensem em novos sistemas e processos para realizar o trabalho mais rapidamente e entregá-lo antes do esperado. Esse deveria ser o seu lema, da mesma forma como os atletas olímpicos seguem o lema "Mais rápido, mais alto, mais forte". Pode acreditar: no atendimento, a velocidade faz toda a diferença.

■

REGRA 28

Saiba a diferença entre necessidades e desejos

Os clientes o procuram porque precisam, ou acham que precisam, de algo, seja uma camisa, uma refeição, um *smartphone*, uma pia desentupida, uma conta bancária ou férias de luxo. É isso que os motiva a entrar em sua loja. Mas, se você quiser que eles continuem voltando e elogiando o seu atendimento, não basta oferecer o que eles precisam; você tem de lhes dar o que eles *realmente querem*.

Todos os seus clientes podem aparentar ter mais ou menos a mesma *necessidade*, mas isso não significa que todos eles queiram a mesma coisa. Todo mundo precisa de certos itens básicos, como comida, lazer, roupas, transporte, cuidados médicos e assim por diante. São os *desejos diferentes* que nos levaram a ter lanchonetes de *fast-food* e supermercados orgânicos, lojas de roupas de festa e lojas de roupas casuais, acampamentos selvagens e cruzeiros de luxo, utilitários e automóveis híbridos.

Os desejos dos clientes também podem ser bastante variados no que diz respeito ao atendimento. Alguns clientes só querem ser atendidos com rapidez e eficiência. Outros preferem a praticidade. Ainda outros só querem o preço mais baixo possível. E, para alguns, a qualidade da interação humana é o que mais importa, pois querem ser tratados com cordialidade e respeito. A capacidade de identificar e proporcionar o que cada consumidor *mais* deseja ajudará a conquistar a fidelidade desses clientes.

Às vezes eu faço compras no Walmart, mas não é pelos "preços baixos todo dia" oferecidos pelo varejista. Vou porque a loja fica perto de casa, está aberta 24 horas por dia e não costuma ter longas filas para pagar. Comprar lá me poupa tempo e o que quero é poupar tempo. Eu pagaria preços *altos* todo dia para poder comprar, pagar e sair rapidamente.

Outra forma de pensar a respeito é a seguinte: produtos e serviços são necessidades; os desejos dizem respeito à experiência de obtê-los. As necessidades são óbvias e práticas; os desejos são sutis e normalmente emocionais. Um plano de saúde é uma necessidade; os desejos incluem mensalidades baixas, uma ampla opção de profissionais de saúde e burocracia reduzida para aprovar solicitações especiais. Consertar o carro é uma necessidade; os desejos incluem honestidade, uma explicação clara do problema e um trabalho rápido e confiável. Um café é uma necessidade; os desejos incluem um bom sabor e um atendimento rápido e agradável. Uma operadora de telefonia celular é uma necessidade; os desejos são uma recepção confiável, um bom suporte técnico e um processo facilitado para o resgate de *upgrades*.

REGRA 28 – SAIBA A DIFERENÇA ENTRE NECESSIDADES E DESEJOS

Um dia uma mulher me contou uma história que ilustra bem o poder de discernir os desejos dos clientes. Ela tinha passado dez anos trabalhando num asilo quando de repente se viu sem emprego. Ela estava exausta e o dinheiro era curto, mas precisava de um corte de cabelo, então foi a um salão de beleza. Ela disse que a cabelereira lavou os seus cabelos com tanta atenção que achou que estivesse sendo massageada pelos dedos de Deus:

— Uma pessoa que não sabia nada a meu respeito estava me atendendo com a mesma energia e o mesmo espírito reconfortante que passei uma década dando a pessoas idosas em estado terminal e suas famílias. Eu *precisava* aparar os cabelos, mas o que realmente *queria* era um pouco de conforto e atenção. Aquela jovem cabeleireira intuiu isso. Nunca vou me esquecer dela. Agora só corto os meus cabelos lá. Aquela cabeleireira sabia a diferença entre uma necessidade e um desejo.

Pode parecer fácil descobrir exatamente o que os seus clientes querem, mas essa tarefa pode requerer mais esforço do que você imagina. Quando eu trabalhava na Disney, sempre achávamos que sabíamos o que os nossos visitantes queriam quando iam aos nossos parques temáticos e hotéis: bons espetáculos, atrações empolgantes e diversão. Então decidimos contratar a Gallup para conduzir um levantamento com 6 mil visitantes recentes fazendo uma única pergunta: "O que você espera quando vem ao Walt Disney World?". Eles realmente queriam o que achávamos que eles queriam, mas já partiam do pressuposto de que receberiam esses itens — na verdade, eles eram mais necessidades do que desejos. Os quatro principais *desejos*, porém, foram:

» Queremos nos sentir especiais.
» Trate-nos como se fôssemos únicos.
» Gostaríamos de nos sentir respeitados.
» Ajam com sabedoria.

Essa experiência me ensinou que os desejos dos clientes muitas vezes são profundos. E também me ensinou que o único jeito de satisfazer aos desejos deles, e não apenas às suas necessidades, é ir além da superfície, mergulhar fundo e investigar suas percepções e emoções mais profundas. É possível explorar os desejos da sua base de clientes como um todo por meio de levantamentos formais como o que acabei de mencionar e também perguntando informalmente às pessoas — não apenas aos seus clientes, mas também aos seus amigos, vizinhos e até a completos estranhos — o que elas realmente querem ao fazer negócios com uma empresa como a sua.

Descobrir o que cada cliente em particular quer é tarefa difícil, porque cada pessoa prioriza seus desejos de maneira diferente. Então, se você lida diretamente com os clientes, deve tentar ter um vislumbre da personalidade de cada um. Para isso, não vou exagerar o valor — e o poder — da escuta focada (veja a Regra 17, "Ouça com atenção"). Quando as pessoas falam, indícios de seu estado de espírito e de suas emoções normalmente são expressos na escolha de palavras, no tom de voz e até no rosto e nos gestos. O que as leva a parecer tão céticas? Em que momento a voz delas revela sinais de entusiasmo? Em que momento elas parecem perder o interesse? Elas parecem impacientes? Esses sinais podem ser sutis e difíceis de interpretar, e é por isso que é crucial prestar muita atenção. Um olhar intrigado, por exemplo, pode significar que elas precisam de mais detalhes ou de uma explicação mais simples. Um olhar vazio pode significar "Não faço ideia do que você está dizendo, mas gostaria de saber mais" ou "Ele está perdendo o meu tempo com essa longa e desnecessária explicação". O que um cliente não diz também pode dizer muito. Quando os clientes vão de falantes e curiosos a silenciosos e distantes, isso normalmente é um sinal de que você está perdendo o interesse deles e é melhor investigar para descobrir o que eles querem.

Você também deve se manter alerta a sinais sutis da linguagem corporal dos clientes. Em que momento eles fecham a cara? Em que momento os olhos deles brilham? Eles estão inquietos? Eles estão de braços cruzados em uma postura defensiva? Isso pode significar "Não gosto do que estou ouvindo" ou "Não vou deixar essa pessoa me ludibriar". Você também pode encontrar indícios na aparência deles; uma pessoa vestida impecavelmente com roupas caras, por exemplo, pode valorizar mais a qualidade e a imagem pessoal do que os preços baixos, ao passo que uma pessoa vestindo roupas velhas e confortáveis pode preferir a durabilidade a um novo estilo da moda. Esses exemplos podem ajudá-lo a identificar sinais dos desejos de um cliente, mas, na prática, há poucas regras fixas para isso. A experiência é o melhor professor no que diz respeito a interpretar os seres humanos.

Eis um exemplo de como a escuta focada pode lhe dar uma ideia dos desejos dos clientes. Uma mulher estava com um problema no computador e ligou para o suporte técnico. O atendente a orientou a realizar alguns passos simples para diagnosticar o problema, mas a mulher se confundia e eles tiveram de recomeçar várias vezes. Em vez de perder a paciência, o atendente ouviu com atenção. Ele notou que a voz da mulher estava ficando histérica e ela soava não só confusa, mas também agitada. Com gentileza e paciência, ele perguntou se ela estava bem. Então ela abriu o coração. Ela tinha acabado de perder o filho em um acidente. Lidar com o problema do computador logo depois de uma tragédia como aquela era especialmente difícil porque era o filho quem costumava cuidar disso para ela. Ela precisava resolver o problema técnico, mas seu *desejo* mais profundo era expressar sua tristeza. O atendente compreendeu e deixou que ela falasse longamente sobre o filho. Não é de se surpreender que essa empresa tenha conquistado a fidelidade dessa cliente — bem como uma receita adicional pelo contrato de assistência estendida que também acabou sendo uma fonte de conforto e segurança para a mãe de luto.

Em resumo: os seus produtos podem ser tão bons que uma fila enorme se formará à sua porta. Mas essa fila também pode se desviar e levar diretamente à porta dos seus concorrentes se você se limitar a dar aos seus clientes só o que eles precisam. Investigue e dê o que eles querem, mesmo se eles ainda não souberem o quê.

É sempre bom ter um *geek* na sua equipe

Não faltam boas razões para uma empresa contratar funcionários jovens: eles são bonitos, eles são fortes, eles não são muito exigentes em termos salariais e os mais competentes se destacam e sobem na empresa. E os dias de hoje nos trouxeram uma razão adicional: eles têm muito mais chances do que os colegas mais velhos de estar a par das mais recentes tecnologias, e alguns deles são verdadeiros *experts*. Outro dia mesmo ouvi alguém dizendo: "Os *geeks* herdarão a terra". Eu não iria tão longe, mas diria que, se a sua empresa não tiver alguns *geeks* entre suas tropas, vocês estão em desvantagem competitiva. Parece que todo dia nos traz alguma inovação eletrônica capaz de melhorar o atendimento ao cliente, então é melhor ter a bordo pessoas ligadas no mundo *high-tech*, de preferência que tenham o *know-how* de promover por conta própria algumas inovações.

Recentemente, li que a loja de ferramentas e materiais de construção de 5.500 metros quadrados da Orchard Supply Hardware na cidade de San José, Califórnia, instituiu algo chamado "atendimento em zonas". O que diabos é um atendimento em zonas? Mark Baker, o CEO da empresa cuja loja participa da Do It Best Corp., uma cooperativa composta de 4 mil lojas ao redor do mundo, explicou o conceito da seguinte maneira: "Todos os nossos colaboradores usam fones de ouvido na loja para que possamos alocar nossos recursos onde os clientes precisam de ajuda, seja carregando o carro no estacionamento ou dando informações sobre os produtos". Esse é um bom exemplo de utilização da tecnologia para atender melhor aos clientes. E também prova que sempre existe uma maneira de melhorar o modo como as coisas são feitas e, nos dias de hoje, são grandes as chances de um *geek* apresentar essas ideias. A definição de *geek* é algo como:

» Um entusiasta ou *expert*, especialmente em uma área ou atividade relacionada à tecnologia.
» Uma pessoa com uma excêntrica devoção a um determinado interesse.
» Uma pessoa interessada em tecnologia, em especial computação e novas mídias.

As empresas precisam desse tipo de pessoa, hoje mais do que nunca, porque agora, não importa qual seja o seu negócio, a tecnologia invariavelmente afeta a qualidade do atendimento que pode ser oferecido aos seus clientes. A tecnologia pode ajudar a otimizar os procedimentos de vendas. Pode facilitar para os clientes encontrar e comprar os seus produtos na internet. Pode ajudar você a identificar melhor os seus clientes-alvo e chamar a atenção deles. E, é claro, pode facilitar aos clientes a tarefa de esclarecer dúvidas, fazer sugestões, exprimir reclamações, devolver mercadorias e ter seus problemas resolvidos rapidamente. Você *precisa* da tecnologia se quiser sobreviver no ambiente competitivo atual. Pense dessa forma: se o *upgrade* tecnológico do seu concorrente poupar apenas alguns minutos do precioso tempo dos clientes, evitar apenas uma inconveniência ou fizer da interação dos clientes com o concorrente um pouco mais agradável, a sua empresa saiu perdendo.

Mesmo que a sua versão de *high-tech* se limite a um site na internet e uma página no Facebook ou manter um banco de dados computadorizado, você precisa de um esquadrão de *geeks* para garantir que todos os sistemas estejam atualizados e operando com máxima eficiência. Em uma época na qual a tecnologia avança a uma velocidade cada vez mais alta, os *geeks* são necessários não apenas para configurar os seus sistemas e mantê-los em boas condições de funcionamento, mas também para acompanhar as novas tendências. Como disse o *expert* em segurança nacional Richard Clarke: "Os *geeks* se encarregam do trabalho".

Mantenha em mente que o seu *geek* ideal não é apenas um *expert* em tecnologia, mas também uma pessoa atenciosa que conhece o valor do atendimento ao cliente. O que você precisa é de um técnico com empatia, alguém capaz de se imaginar na pele dos clientes e de identificar as maneiras como a tecnologia pode ser utilizada para dar aos clientes exatamente o que eles querem.

O nosso mundo foi transformado pelos *geeks* e o seu negócio também pode passar por uma transformação como essa. Dessa forma, inclua alguns deles na sua empresa ou na sua equipe e dê a eles o salário, o respeito e o espaço criativo de que precisam para levar o seu atendimento a novas alturas.

REGRA
30

Seja implacável ao lidar com os detalhes

Richard Branson, o empreendedor britânico que fundou o Virgin Group, escreveu que "A única diferença entre um serviço meramente satisfatório e um excelente serviço é a atenção aos detalhes". Esse conceito é ainda mais verdadeiro em se tratando de um excelente atendimento ao cliente.

Poucas empresas são mais ligadas nos detalhes do que a gigantesca transportadora FedEx. Apesar de ter mais de 300 mil funcionários em 220 países e territórios ao redor do mundo, a FedEx gera, para cada um de seus motoristas, instruções diárias de navegação meticulosamente calibradas para determinar a distância mais curta entre todos os pontos de entrega e o maior número de conversões à direita possível visando reduzir o tempo de entrega e poupar combustível. Pense no tempo e dinheiro que tal nível de atenção aos detalhes é capaz de poupar em uma operação tão grande quanto a da FedEx e pense em como isso permite que eles proporcionem uma entrega mais rápida e mais barata a seus clientes.

Quando abriu o seu negócio ou assumiu seu cargo atual, você provavelmente prestava muita atenção aos detalhes, mantendo tudo impecável e em perfeito funcionamento. Será que ainda é assim? Se não for, você não é o único; é comum que a atenção aos detalhes se degrade com o tempo. Os detalhes têm inimigos, e esses inimigos incluem o tempo, o sucesso e a experiência. Faz parte da natureza humana começar a ignorar os pormenores quando se está muito ocupado ou quando as coisas vão bem. À medida que as tarefas se tornam rotineiras e deixamos de dar o devido valor à nossa própria *expertise*, nos familiarizamos tanto com a floresta que perdermos as árvores de vista.

Mas, apesar de um pouco de desatenção ser natural, isso também pode ter consequências sombrias. Pense nas tragédias que podem ocorrer quando médicos ou enfermeiros, motoristas de caminhão ou mecânicos de automóveis, bombeiros ou seguranças se descuidam de detalhes como um parafuso solto em uma roda, um pisca-pisca quebrado ou um erro de digitação na receita de um medicamento. É verdade que, na maioria dos cargos e negócios, a falta de atenção aos detalhes não custará vidas, mas custará clientes e, em consequência, lucros.

Uma ferramenta simples na aparência, porém incrivelmente eficaz para manter todos e você mesmo focados nos detalhes é a lista de verificação. O cirurgião, professor da Harvard Medical School e autor, Atul Gawande, escreve em seu *best-seller*, Checklist: como fazer as coisas benfeitas, que as listas de verificação podem ser usadas para impedir contratempos, desde pequenos aborrecimentos até erros fatais em todo tipo de ambiente imaginável. Em hospitais, por exemplo, dados demonstram que a utilização de listas de verificação para garantir a limpeza pode reduzir acentuadamente as infecções. Na aviação, as listas de verificação melhoram as eficiências operacionais e reduzem o número de acidentes. Com efeito, Gawande apresenta evidências convincentes de que as listas de verificação podem reduzir erros humanos em todas as áreas, incluindo construção civil, bancos de investimento e segurança nacional. Se essas listas podem ajudar hospitais a melhorar a segurança dos pacientes ou canteiros de obras a impedir acidentes com os operários, elas, sem dúvida, poderão ajudar você e a sua organização a assegurar uma maior satisfação do cliente.

É claro que as listas de verificação devem variar dependendo do negócio, do departamento, da função dos funcionários e das condições no momento. Veja a seguir exemplos de uma lista de verificação de atendimento ao cliente para uma loja de varejo:

» Acesso de veículos, estacionamento e entrada imaculados e convidativos.
» Todos os colaboradores com aparência profissional e vestidos apropriadamente.
» Crachás claramente visíveis.
» Iluminação e música em um nível adequado.
» Mercadorias perfeitamente organizadas.
» Mercadorias em liquidação expostas em destaque.

- » Área dos caixas desimpedida e caixas posicionados.
- » Banheiros imaculados.
- » Revistas atuais na área de espera e impecavelmente empilhadas.
- » Café fresco preparado e pronto para ser oferecido aos clientes.
- » Funcionários prontos para receber os clientes que chegam.
- » Entrada de funcionários, área de descanso e vestiários limpos e convidativos.
- » Todos os elevadores limpos e em funcionamento.
- » Computadores ligados e em funcionamento.
- » Impressoras com papel suficiente.

Veja algumas outras melhores práticas de empresas orientadas aos detalhes que você pode implementar para melhorar o atendimento na sua organização:

- » Desenvolva políticas e procedimentos específicos e detalhados e comunique-os com clareza a todos os funcionários que interagem direta ou indiretamente com os clientes.
- » Permita intervalos frequentes para que os funcionários alocados a tarefas de rotina ou repetitivas se mantenham alertas.
- » Inspecione regularmente o maquinário, os equipamentos e os dispositivos tecnológicos para se certificar de que tudo esteja em perfeito estado de funcionamento.

» Crie um sistema de alerta antecipado por meio do treinamento de *todos* os seus funcionários para detectar problemas potenciais; proporcione a eles meios fáceis e seguros de informar esses problemas.
» Promova uma cultura de comunicação aberta, para que os funcionários de todos os níveis possam ter acesso fácil às pessoas com autonomia de decisão.
» Percorra as suas operações todos os dias com um bloco de anotações em mãos. Anote todos os detalhes que poderiam ser melhorados e providencie correções imediatamente. Inicialmente, os seus funcionários ou colegas podem achar que você é obsessivo, mas eles aprenderão rapidamente a respeitar a sua atenção aos detalhes — e imitá-la.

Dizem que o diabo está nos detalhes. Bom, nos negócios isso só é verdade se você negligenciá-los. A sua atenção a esses detalhes diabólicos será recompensada com um melhor atendimento, maiores lucros e clientes fiéis.

REGRA 31

Seja confiável

Empresas vivem ou morrem com base em sua confiabilidade. Você pode ter o melhor produto do mundo, mas isso não bastará para manter a lucratividade da empresa se você não conseguir proporcionar aos clientes, a cada vez e de maneira confiável, o que eles esperam e quando esperam. Não importa a sua área de atuação, a confiabilidade dá segurança aos seus clientes. Eles querem saber que a encomenda será entregue a tempo da mesma forma como querem saber que o carro pegará quando eles derem a partida, que a pizza estará quente quando for entregue ou que o quarto de hotel estará limpo e preparado quando eles fizerem o *check-in*.

A confiabilidade ocupa o centro da reputação da sua empresa e, em consequência, de sua lucratividade. Charles Fombrun, professor de administração da Faculdade de Administração Stern da New York University, escreveu que "Uma reputação se desenvolve com base nas características distintivas de uma empresa e práticas formadoras de identidade, sustentadas ao longo do tempo, que levam os *stakeholders* a perceberem a empresa como confiável e responsável". A isso ele acrescentou: "Ao reforçar a fé e a confiança nas ações da empresa, a credibilidade e a confiabilidade criam valor econômico". Fombrun mencionou um estudo que identificou a confiabilidade como um dos dez principais fatores determinantes da reputação de uma empresa, e incluiu "proporcionar um atendimento uniforme" na sua definição de confiabilidade.

Se isso não bastar para convencê-lo, tente ver a coisa sob este prisma: imagine que a lavanderia do seu bairro faz um excelente trabalho lavando, removendo as manchas e passando as roupas. Eles cobram preços baixos e sempre o cumprimentam pelo nome e com um sorriso. Mas cerca de 10% das vezes as suas roupas não estão prontas no prazo prometido. Será que isso não bastaria para levá-lo a procurar outra lavanderia? Ou suponha que o restaurante que serve o seu prato preferido com um atendimento cordial e bons preços às vezes demora tanto para atendê-lo que você acaba chegando atrasado ao serviço. Quanto tempo você leva para trocar de restaurante? Imagine que você conhece um mecânico de automóveis que diagnostica os problemas como se fosse o próprio Sherlock Holmes, faz reparos de modo impecável e cobra preços razoáveis, mas algumas vezes deixa graxa nos assentos e sujeira no tapete. Quem você procurará da próxima vez que o seu carro quebrar?

Como muitos já observaram, leva muito tempo para desenvolver uma boa reputação e apenas um instante para perdê-la. Você se lembra de quando a Toyota fez o *recall* de 2,3 milhões de carros em função de um problema de "aceleração não intencionada"? Da noite para o dia, uma marca que foi sinônimo de segurança e confiabilidade passou a ser vista como inferior ou, nas palavras de uma manchete de jornal: "*Recall* da Toyota joga confiabilidade e reputação no buraco". Foi só depois de muito empenho que a Toyota reconquistou sua merecida reputação pela confiabilidade e voltou a usufruir da fidelidade de milhões de clientes, como Priscilla e eu. Mas a maioria das empresas terá muita dificuldade de se recuperar uma vez que forem rotuladas como não confiáveis, e algumas jamais se recuperam. Quando uma empresa, um produto ou serviço que foi considerado confiável trai a nossa confiança, ficamos receosos. É nesse momento que começamos a perguntar aos nossos amigos "Que lavanderia você usa?" e "Conhece um bom mecânico?".

Se você pretende manter os seus clientes fiéis, precisa sustentar uma excelente reputação por meio de um atendimento confiável tanto em circunstâncias de rotina quanto em situações excepcionais. Você não quer que as pessoas digam sobre a sua empresa: "O trabalho é ótimo na maior parte do tempo, mas não dá para confiar neles". Para uma empresa, isso é uma sentença de morte. Você pode não notar a debandada dos seus clientes até isso se refletir no seu relatório trimestral. Mas, quando isso acontecer, provavelmente será tarde demais para reconquistá-los. Se, porém, a sua empresa for reconhecida pelo atendimento de confiança, os clientes pagarão mais e se deslocarão para fazer negócios com a sua empresa em vez de um concorrente menos confiável.

E, não importa o porte da sua empresa, sua reputação depende da confiabilidade de cada um de seus funcionários. É por isso que os capítulos anteriores deste livro enfatizam a importância de contratar as pessoas certas, treiná-las bem, reforçar e desenvolver suas habilidades e testá-las constantemente para se certificar de que o treinamento está sendo colocado em prática. Naturalmente, como a Regra 38 ("Melhore sempre") deixa bastante claro, um atendimento uniforme não significa que você e seus funcionários não possam fazer mudanças para aprimorar o atendimento. O que importa não é que os procedimentos em si sejam exatamente os mesmos, mas que a *qualidade* do atendimento seja uniformemente excelente.

Jamais permita exceções a isso.

REGRA 32

Não delegue responsabilidade sem dar autoridade

Outro dia, um amigo e sua esposa foram a uma grande loja de eletroeletrônicos comprar um novo e badalado console de videogame que seria lançado naquele dia. Eles chegaram antes de a loja abrir e entraram na fila com outros fãs de jogos. Como a esposa desse amigo tem problemas de saúde e estava em uma cadeira de rodas, eles perguntaram ao segurança se poderiam esperar dentro do shopping. O guarda entrou para se informar. Vinte minutos depois, ele voltou e disse ao casal que eles precisariam esperar do lado de fora, como todo mundo. Eles pediram para falar com um responsável. Impossível, foram informados. O gerente não poderia fazer nada. Regras são regras. Ponto final.

O bom-senso sugeriria que o segurança deveria ser capaz de fazer uma exceção para um cliente cadeirante. Mas aquele guarda claramente não tinha autoridade para tomar uma decisão autônoma, até mesmo em uma situação tão óbvia.

O resultado foi um cliente extremamente irritado e uma venda perdida de um item de alta margem de lucro.

Uma empresa que sabe muito bem como dar autonomia de decisão aos seus funcionários é a Amazon. Uma vez Priscilla ligou para o atendimento ao cliente porque estava com um problema com um conjunto de porcelana que tinha encomendado. Em vez de colocá-la na espera enquanto se informava com um supervisor ou gerente, o atendente se ofereceu imediatamente a restituir o dinheiro no cartão de crédito ou enviar um novo produto. Priscilla ficou tão impressionada que disse ao atendente que seu marido estava escrevendo um livro sobre o atendimento ao cliente e estaria interessado em saber mais sobre as políticas da empresa. "É simples", o atendente explicou, "tenho autoridade para deixar os nossos clientes felizes".

Todo funcionário que lida com os clientes deveria saber que sua maior responsabilidade é deixá-los felizes e receber a autoridade necessária para garantir esse resultado. Naturalmente, essa autoridade não deve ser ilimitada, mas os limites devem ser acompanhados de bons procedimentos que garantam que a pessoa que *de fato* tem a autoridade necessária esteja sempre acessível. Como você provavelmente já sabe pela sua própria experiência, é angustiante ser informado de que você vai precisar falar com um supervisor e ser mantido uma eternidade na espera.

Pesquisas demonstram claramente que não é o problema em si que afasta os clientes, mas sim a sua resolução insatisfatória demorada. Nos dias de hoje, os consumidores sabem o que querem, e o querem agora, sem aborrecimentos. A cada

REGRA 32 – NÃO DELEGUE RESPONSABILIDADE SEM DAR AUTORIDADE

minuto que eles são forçados a esperar para ter um problema resolvido, e a cada aborrecimento ao qual eles são expostos ao longo do caminho, maiores são as chances de eles procurarem um concorrente da próxima vez. Além disso, quanto mais autoridade os funcionários de linha de frente tiverem, menos os gestores serão obrigados a deixar de lado suas outras tarefas.

Uma das razões pelas quais a Disney World é conhecida mundialmente pelo excelente atendimento é a atitude da empresa de manter registros meticulosos de todos os problemas e contratempos ocorridos no parque e depois treinar e autorizar os funcionários a resolver esses problemas imediatamente. Sugiro vivamente que você implemente procedimentos similares na sua área de responsabilidade: conduza levantamentos regulares com os seus funcionários e clientes para se manter a par dos problemas mais comuns. Feito isso, dê a todos os funcionários o treinamento necessário para lidar com qualquer problema que possa surgir e lhes dê a autoridade necessária para agir.

Um amigo meu me contou que um dia chegou ao aeroporto e descobriu que tinha se enganado e feito a reserva para o dia errado. Quando ficou sabendo que seu voo tinha partido no dia anterior, ficou desolado. Ele estava a caminho de uma importante reunião de negócios e, se não conseguisse embarcar em outro voo, ficaria numa situação difícil. "Vou ver o que posso fazer", a atendente o tranquilizou. Enquanto o meu amigo suava a cântaros, a atendente simplesmente pressionou algumas teclas do computador e, poucos minutos depois, anunciou: "Tudo certo. O seu voo parte em 40 minutos".

Ele agradeceu imensamente e ofereceu o cartão de crédito para pagar a multa pela alteração do voo. Ela o dispensou com um aceno. Sem multa!

É claro que aquela atendente recebera da empresa, a Southwest Airlines, a autoridade necessária para fazer o possível para ajudar um cliente. As organizações que adotam uma política similar serão recompensadas com clientes fiéis e belos resultados financeiros.

REGRA 33

Jamais discuta com um cliente

Na época em que eu comandava o restaurante de um hotel Marriott, lá nos idos de 1976, tínhamos uma freguesa frequente que reclamava a cada vez que ia jantar no restaurante. O chá estava frio demais. A sopa estava quente demais. Por que não servíamos x? Por que diabos servíamos y? A entrada veio cedo demais. O vinho demorou a chegar. Até que eu não aguentei mais e meu lado insolente falou mais alto: "A senhora por acaso passa a noite em claro pensando em coisas para reclamar no restaurante?", indaguei, petulante.

Ela retrucou imediatamente. Quando me dei conta, estávamos discutindo. Eu lhe disse que o chá estava quente; ela insistiu que estava frio. Eu afirmei que a sopa estava na temperatura perfeita; ela alegou que queimou a língua. Não demorou para que a discussão entrasse no âmbito pessoal. A questão não era mais o chá ou a sopa, mas sim ganhar ou perder.

Mais tarde, Bud Davis, o gerente geral, me chamou para a sala dele e me repreendeu com severidade. Eu não só tive de me desculpar como praticamente fui forçado a beijar os pés da hóspede daquele dia em diante. Eu me submeti e segui as ordens, mas estava furioso por dentro, porque senti que ela tinha vencido. Então Bud me ensinou uma importante lição: quando um cliente vence, na verdade, é a empresa quem saiu ganhando.

"Tente pensar assim", ele me orientou, "até os clientes mais desagradáveis querem fazer negócios com a gente e o dinheiro deles vale exatamente igual ao dinheiro dos clientes doces, gentis e simpáticos". Moral da história: se eu quisesse continuar recebendo daqueles clientes desagradáveis, seria melhor manter a boca fechada. Lição aprendida. Nunca mais discuti com nenhum outro cliente. E, quando me tornei um executivo, sempre fiz de tudo para que nenhum membro das minhas equipes caísse nessa armadilha. É claro que tive de morder a língua em mais de uma ocasião ao longo da minha carreira. Mas a minha língua sobreviveu e as empresas nas quais trabalhei foram poupadas de perder um bom número de clientes. Como o meu neto Jullian me lembrou recentemente, a língua humana é o músculo mais forte do corpo. Quando um cliente chega querendo comprar briga, a melhor coisa a fazer é se abster de exercitar esse músculo.

De tempos em tempos, ao longo dos anos, um cliente me procurava para reclamar de algum funcionário beligerante. Quando eu perguntava ao funcionário o que tinha acontecido, normalmente era informado de que o cliente estava

REGRA 33 – JAMAIS DISCUTA COM UM CLIENTE

errado, não relatou direito os fatos, foi agressivo ou estava tentando trapacear a empresa. Na maioria das vezes, o funcionário tinha agido com base na crença de que era melhor perder um mau cliente do que apaziguá-lo. Eles se surpreendiam quando eu explicava que não existe essa coisa de "mau" cliente.

Sempre fiz questão de que esses funcionários aprendessem o que Bud Davis me ensinou: jamais discuta com um cliente. Não fique na defensiva. Não seja grosseiro. Não seja sarcástico. Ponto final. Alguns clientes tentarão trapacear? Com certeza. Alguns deles tentarão se aproveitar de você para conseguir alguma coisa de graça? Sem dúvida. Algumas pessoas são abomináveis e chegam com o rei na barriga? Claro, pode apostar. Mas nada disso importa, porque negócios são negócios e lucros são lucros.

Então, quanto mais eles gritarem, mais baixo você deve falar. Quanto mais agitados eles ficarem, mais calmo você deve ficar. Como diz o velho ditado, "Quando você discute com um idiota, o número de idiotas dobra". Se você não tiver condições de lidar com uma situação em particular sem perder a calma, afaste-se e chame o seu gerente imediatamente.

Se você for o gerente, certifique-se de que os seus funcionários saibam que devem ser sempre respeitosos, tranquilos e controlados ao lidar com os clientes, por mais que o cliente tente irritá-los. As únicas emoções que eles devem demonstrar a um cliente furioso são empatia e compaixão. As únicas armas que eles devem empunhar são a gentileza, a paciência e a competência. Duas velhas máximas se aplicam a esse caso: 1. O cliente tem sempre razão; e 2. Force um sorriso e aguente firme. Aguente firme enquanto o cliente desabafa e conserte o que provocou sua ira. Quando um cliente tem um chilique, é fundamental não levar para o lado pessoal. Ele não está com raiva de você — o cliente não o conhece nem se importa com você —, ele está com raiva da situação. Ele ficou decepcionado ou frustrado. Ele pode estar se sentindo roubado. A reclamação pode ser completamente absurda e o faniquito pode ser absolutamente desnecessário. Ou não. De qualquer maneira, não é nada pessoal. O cliente está descontente com as circunstâncias. Você não passa da válvula de escape mais próxima para a ira dele. Conserte o que estiver errado e você se tornará o herói em vez de ser o alvo.

Não esqueça que todo mundo tem problemas que você desconhece. O cliente berrando na sua frente pode ter tido o pior dia da vida dele e o que aconteceu na sua empresa foi a gota d'água. Ele pode ter sido demitido. Pode ter perdido um ente querido. Ou pode ter acabado de receber um terrível diagnóstico médico. Para que dificultar ainda mais a vida dele entrando em uma discussão?

Décadas atrás, na véspera do ano-novo no mesmo hotel Marriott onde Bud Davis me ensinou a manter a calma, um cliente furioso mandou chamar o gerente. Na ocasião, o gerente era eu. O cliente estava furioso porque quando ele e a esposa chegaram ao restaurante para celebrar a virada do ano, eles foram informados de que não tinham reserva. O restaurante estava completamente lotado e constatei que a *hostess* estava certa: todas as mesas já estavam reservadas. A fúria do cliente se transformou em uma ira cega. Ele berrou com um palavreado nada lisonjeiro que eu era um idiota e meus funcionários eram uns perdedores. Respirei fundo e disse calmamente que me encarregaria de resolver o meu problema. Isso mesmo, eu disse "o *meu* problema", porque na realidade o problema era meu e não dele. Mas ele não me ouviu porque estava ocupado demais gritando. Então perguntei com firmeza, mas sem confrontá-lo: "O senhor gostaria de continuar gritando comigo ou prefere me deixar resolver o problema?" Ele murmurou: "Resolva". E, quando eu disse que me encarregaria disso, ele se acalmou imediatamente.

Acompanhei o casal até o bar e pedi champanhe para eles, por conta da casa. Até cheguei a lhes dar aqueles chapéus pontudos de ano-novo (é difícil ter um chilique com um chapéu engraçado na cabeça). Depois, fui à seção de banquetes do hotel, encontrei uma pequena mesa de coquetel de tamanho suficiente para acomodar duas pessoas e a coloquei num canto do restaurante. Quinze minutos mais tarde, eles estavam sentados à mesa com uma rosa recém-colhida e uma vela acesa. E, algumas horas depois, quando ele pagou a conta, o restaurante acabou com muitos dólares e dois clientes satisfeitos a mais.

Não parece uma alternativa muito melhor do que mandar o cliente aguerrido procurar outro restaurante? Além dos ganhos óbvios, a minha atitude ainda nos rendeu um benefício adicional: dei um bom exemplo a todos os outros funcionários. Não se esqueça de que parte da responsabilidade de um gestor é exibir o comportamento certo; se você não conseguir manter o controle das suas emoções ao lidar com os clientes — ou os seus colaboradores —, seria hipócrita esperar isso dos outros.

Veja algumas outras dicas que acumulei ao longo dos anos para lidar com clientes furiosos sem entrar em uma discussão:

» Deixe que eles desabafem. Ouça a história toda sem interromper. Algumas vezes tudo o que eles querem é ser ouvidos.
» Assuma a responsabilidade pelo problema. Não atribua culpa. Não se explique. Não dê desculpas. Para os clientes, não interessa se você está trabalhando com pouco pessoal, o caminhão de entrega teve um acidente ou o servidor da internet teve uma pane.
» Tente se sair com uma solução rápida e fácil. Se não conseguir, pergunte se você pode trabalhar no problema e retornar com uma solução em 24 ou 48 horas. Pela minha experiência, a maioria dos clientes irados se acalma depois de serem tratados com dignidade e tem mais chances de aceitar uma solução razoável em um momento posterior do que no calor da batalha.
» Engula o orgulho. Apesar de ser verdade que você deve tratar o cliente como se ele sempre tivesse razão, algumas vezes os clientes estão simplesmente errados: ele pode ter se enganado na leitura do contrato, ter anotado a data incorreta ou pode desconhecer todos os fatos. Nesses casos, seria fácil vencer a discussão, mas a que custo? Algumas vezes é melhor deixar passar.
O orgulho pode até se mostrar saboroso quando o resultado é manter um cliente em vez de perdê-lo para sempre.
» Facilite as reclamações. Tenha uma linha direta, um balcão de atendimento ou um endereço de e-mail e

pessoas treinadas para lidar com elas. Pense nisso como um remédio preventivo: um grama de reclamação hoje poupa um quilo de discussão amanhã.

» Mantenha em vista o resultado final. Quando você vence uma discussão com um cliente, na verdade *vocês dois* saem perdendo.

REGRA 34

Nunca diga não — exceto em "não tem problema"

Um conhecido meu, em uma viagem a negócios, chegou ao portão de embarque com cerca de uma hora de antecedência para o voo das 15h40, a tempo de ver seu chefe embarcando no voo anterior para o mesmo destino. Ele perguntou à atendente do portão se o voo estava lotado.

— Está só meio lotado — foi a resposta.

— Ótimo — meu conhecido disse. — Posso entrar em *standby* neste voo?

— Não — a atendente respondeu.

O meu conhecido tentou apelar ao bom-senso. Impossível. A resposta era "não" e ponto final.

Ninguém gosta de ter um pedido negado. Isso provoca todo tipo de emoções e reações negativas. Pesquisas indicam que os pais deveriam evitar usar a palavra "não" com crianças pequenas, porque a negativa faz com que uma atividade proibida seja mais intrigante e pode até incitar uma criança a decidir ir em frente. Bom, os nossos clientes adultos não são tão diferentes assim. Quando eles ouvem "não", o cérebro entra em modo defensivo, intensificando a resolução de fazer você mudar de ideia e mudar a sua resposta para "sim".

A negativa é uma destruidora de esperanças. E também indica falta de empenho. Se a sua primeira resposta for uma peremptória negativa, você está basicamente dizendo que escolheu a saída mais fácil e não pretende mover uma palha sequer para satisfazer o cliente. Foi basicamente o que aquela companhia aérea me disse vez após vez na história que contei na Regra 2 ("Um cliente é conquistado por vez e mil são perdidos de uma vez só"). Meu neto Jullian, que viu a situação toda se desenrolar, disse que a diferença entre aquela companhia aérea e a Southwest é que "a Southwest diz sim".

Você se lembra da campanha antidrogas do governo norte-americano nos anos 1980? O *slogan* era "Just say no" (apenas diga não). Bom, a campanha não venceu a guerra contra as drogas e sem dúvida não vencerá a guerra pela fidelidade do cliente. Para tanto, você precisa fazer exatamente o contrário: simplesmente *não* diga não! Melhor ainda, inclua duas palavras, para que o "não" se transforme em uma atitude positiva, como em "não tem problema": "Não tem problema. Entendo a sua situação. Vou ver o que posso fazer" ou "Não tem problema. Vou precisar falar com o meu supervisor. Posso retornar em uma hora?"

Mesmo em casos nos quais é impossível atender à solicitação do cliente, ainda é recomendável evitar a palavra "não". Elabore a sua resposta de maneira a deixar as portas abertas e dar esperança ao cliente: "Verei o que posso fazer.

Retornarei com uma resposta amanhã". Dito isso, bote as mãos na massa rapidamente e descubra um jeito de atender a solicitação ou de sair com uma alternativa razoável — e não deixe de retornar no prazo proposto ou antes. A resposta pode continuar sendo negativa, mas não deixe que essa fatídica palavra saia da sua boca. Em vez disso, concentre-se — nas ações e no discurso — no que você de fato pode fazer pelo cliente. Diga algo como: "Posso lhe dar um crédito na loja, mas sinto informar que não posso restituir o seu dinheiro" ou "Ficaremos contentes em providenciar o conserto do produto, mas não consegui obter aprovação para lhe enviar um novo". O seu cliente pode ficar decepcionado, mas apreciará a sinceridade do seu empenho e provavelmente continuará fidelizado a sua empresa.

Em resumo, só diga "não" em último caso. Só pronuncie essa palavra depois de ter esgotado todos os meios razoáveis para satisfazer o cliente — e um "não" incisivo só deve ser dito por um gerente, supervisor ou o dono da empresa.

E nos casos em que a solicitação do cliente é tão absurda que você não só tem vontade de negar como também gostaria de informar o cliente que ele perdeu totalmente a noção? Lute contra esse impulso (lembre-se da Regra 33, "Jamais discuta com um cliente"). Respire fundo, sorria e peça um tempo para avaliar a questão — mesmo se você souber que a sua empresa jamais dará o que o cliente quer. Diga ao cliente exatamente quando você retornará com uma resposta e cumpra esse prazo com diligência. A maioria das pessoas é muito mais razoável depois de um tempo esfriando a cabeça, especialmente se perceberem que você pelo menos se esforçou.

Quando eu trabalhava na Disney, um jovem ligou para o meu escritório, se esgoelando, furioso. Ele estava nervoso porque em um espetáculo de um dos parques temáticos, um membro do elenco pediu para a namorada do cliente parar de tirar fotos. Expliquei as razões para a política: o *flash* da câmera coloca em risco a segurança dos artistas e incomoda os outros convidados. Ele insistiu que fora tratado com grosseria e que o incidente acabou com as férias deles. Em seguida, ele exigiu uma remuneração; disse que não aceitaria nada menos do que férias grátis no *resort*, mais as passagens aéreas partindo de Nova York.

Eu sabia que isso jamais aconteceria. Mesmo assim, informei ao jovem oportunista que analisaria a questão e retornaria em alguns dias. Quando liguei de volta, ele já tinha esfriado a cabeça. Eu disse que não poderia lhe dar exatamente o que ele queria e pedi para ele pensar em outra forma de restituição que lhe fosse satisfatória. No fim da história, concordamos que da próxima vez que ele planejasse uma viagem à Disney World, ele me ligaria para que pensássemos juntos em algo especial para ele e a namorada. Note que em momento algum durante toda a conversa eu pronunciei a palavra "não".

Como gestor, você pode usar essa estratégia não apenas com reclamações dos clientes, mas também com solicitações dos funcionários. Digamos que você anunciou a programação da semana e alguém pede para tirar folga no sábado. Seria mais fácil para você simplesmente dizer "não". Mas, no longo prazo, esse "não" pode se provar custoso se o funcionário começar a negligenciar o trabalho por ter ficado contrariado com a sua atitude, se ele procurar um emprego em uma empresa com uma administração mais flexível ou se começar a tratar os seus clientes como você o tratou. Em vez disso, você poderia dizer: "Me dê um dia para pensar no assunto. Vou tentar conseguir alguém para se encarregar do seu turno". A palavra-chave é "tentar". Se você realmente tentar e mesmo assim for forçado a negar o pedido, o funcionário apreciará o seu empenho e sentirá que você o tratou com respeito.

Enquanto eu revisava o manuscrito final deste livro, vivenciei um excelente exemplo de nunca dizer não no atendimento. Na ocasião, Priscilla e eu estávamos hospedados no Kybele, um hotel de 16 quartos em Istambul. Uma noite, no restaurante, Priscilla perguntou ao nosso garçom, um homem chamado Yasar Cetinkaya, se eles tinham biscoitos. Não havia nenhum biscoito à vista e nenhuma menção a eles no cardápio. Em vez de dizer "não", Yasar perguntou: "Com ou sem açúcar?". Priscilla respondeu: "Com açúcar". Yasar sorriu e se afastou. Alguns minutos depois, ele voltou, meio sem fôlego, com um prato de biscoitos de chocolate. Priscilla imaginou que ele tivesse saído do hotel para encontrar os biscoitos e lhe perguntou se foi o caso. Yasar confessou que fora correndo até outro hotel. O resultado foi que Priscilla saboreou deliciosos biscoitos de chocolate, Yasar ganhou uma generosa gorjeta, eu consegui uma excelente história e o Kybele Hotel ganhou uma bela recomendação neste livro.

Moral da história: é melhor, quase sempre, tentar se sair com uma solução do que dizer "não" de cara. Na minha opinião, "não" é uma das palavras mais desagradáveis que existem. "Não tem problema", porém, é música para os meus ouvidos, e sem dúvida para os ouvidos dos seus clientes também.

REGRA 35

Seja flexível

Costumo estremecer sempre que ouço a expressão *tolerância zero*. Ela costuma ser usada para racionalizar ações como expulsar uma criança da escola por levar na mochila uma faquinha de plástico para cortar a maçã ou prender um sem-teto que furtou comida em um mercado. Na minha opinião, políticas como essas deveriam ser chamadas de "flexibilidade zero", e a falta de flexibilidade pode ser tão danosa no atendimento ao cliente quanto é na educação ou na lei. Flexibilidade implica manter a mente aberta. Implica receber de braços abertos ideias novas e pontos de vista alternativos. Implica se adaptar a mudanças e se curvar um pouco para deixar um cliente feliz.

Admita, você não é perfeito. Ninguém é. Erros serão cometidos. As circunstâncias mudarão. Novas informações surgirão. Se não for flexível o suficiente para rever as suas políticas e procedimentos, você perderá a corrida para um concorrente mais maleável. Os melhores gestores não estão apenas abertos a novas ideias, eles são verdadeiros *devoradores* de novas ideias. Eles não apenas são adaptáveis como estão sempre ávidos para melhorar o jeito como as coisas são feitas — rapidamente, se não for imediatamente. Outro dia ouvi que um grande líder é uma pessoa "de princípios fixos e rígidos, sendo que o primeiro deles é ser flexível em todas as situações".

Como você se sente ao ver uma placa dizendo "Não aceitamos devoluções. Não insista". Quando vejo isso, faço questão de sair correndo. A mensagem é de que a empresa é inflexível e não está disposta a dedicar tempo e energia ouvindo as minhas reclamações. Eles podem achar que têm boas razões para adotar uma política como essa. Talvez o produto deles seja do tipo que os clientes podem usar com facilidade e devolver, basicamente obtendo uma locação gratuita. Talvez muitos clientes se aproveitaram deles no passado. Mas nada disso importa para mim. Há outras maneiras de lidar com esse tipo de coisa além de indispor os clientes com uma política inflexível.

Hoje em dia, os consumidores têm acesso a uma atordoante e sempre dinâmica variedade de opções para praticamente todas as necessidades imagináveis. As melhores empresas sabem que os procedimentos devem ser tão elásticos quanto o mercado. É por isso que as seguradoras anunciam benefícios flexíveis e algumas empresas oferecem horários de trabalho flexíveis. É por isso que os varejistas promovem planos de pagamento flexíveis. Você se lembra da campanha "A gente faz do seu jeito", da Burger King? Há uma boa razão para os negócios da empresa terem despencado depois que eles abandonaram o *slogan* nos Estados Unidos. A reação dos clientes foi clara: faça do meu jeito e eu voltarei; me force a fazer do seu jeito e eu voltarei... a frequentar o concorrente. Depois de corrigir o engano, a Burger King se expandiu para o mundo inteiro. Pouco tempo atrás, entrei em uma loja da rede em Istambul e a lanchonete estava lotada. Eles claramente estavam fazendo do jeito que os turcos querem.

É claro que costuma ser mais fácil adotar uma política de "flexibilidade zero". Se você for rígido, não precisa perder tanto tempo ouvindo os clientes; não precisa pensar sobre o que eles lhe dizem; não precisa tomar decisões referentes a problemas específicos nem pensar em maneiras criativas de lidar com problemas incomuns. Mas não é assim que se desenvolve confiança e fidelidade. Isso só pode ser feito sendo flexível o suficiente para tratar cada cliente e cada situação em particular... e particularmente importante.

Em certa extensão, a flexibilidade é um traço de personalidade. Algumas pessoas são programadas, pela genética ou pela criação, a serem mais conservadoras, cautelosas e lentas na adoção de mudanças; outras são mais inerentemente abertas, adaptáveis e ansiosas para tentar coisas novas. Cada conjunto de características tem as suas virtudes, mas você terá dificuldades se levar uma ou outra tendência longe demais. É verdade que, em alguns casos, se ater à tradição e a procedimentos operacionais padrão pode ser a melhor coisa a fazer e abordar a mudança com cautela pode ser prudente. Mas, se você for sempre rígido e inflexível, corre o risco de perder o trem da história. Os clientes simplesmente não gostam de lidar com pessoas teimosas e intransigentes, incapazes de fazer qualquer concessão. Nas palavras do técnico de basquete universitário de maior sucesso da história, o lendário John Wooden: "Um líder eficaz permite exceções à regra para obter resultados excepcionais ou quando as circunstâncias exigem".

Deixei de fazer negócios com mais de uma empresa por causa de políticas inflexíveis. Em uma ocasião, troquei uma impressora em uma empresa de material de escritório só para descobrir que a nova impressora usava cartuchos de tinta diferentes do modelo anterior. Liguei perguntando se poderia devolver meus cartuchos não utilizados. Fui informado que sim, mas, quando cheguei à loja, eles me disseram que poderiam me dar apenas crédito na loja ou um vale-presente. Eles não trabalhavam com devoluções em dinheiro nem restituições no cartão de crédito. Por quê? Porque é a política deles. E por que é a política deles? A pessoa ao balcão não fazia ideia, e é justamente esse o problema. Os sujeitos imediatistas da matriz corporativa não deram aos funcionários de linha de frente a flexibilidade necessária para se desviar da política rígida da empresa — mesmo quando isso potencialmente envolvia perder um cliente. Eles nem orientaram aquele pobre funcionário para me explicar as razões pelas quais ele não poderia atender ao meu pedido.

Um velho provérbio chinês aconselha os líderes a serem como o bambu: fortes, robustos e firmemente enraizados, mas capazes de se curvar ao vento. Você pode ou não ser um líder, mas prestar um excelente atendimento deveria ser a sua missão inflexível; já o modo como você concretiza essa missão deveria ser tão flexível quanto o bambu.

REGRA 36

Peça desculpas do fundo do coração

"Me desculpe." Você já notou como tudo muda quando alguém pronuncia essa frase tão simples? Da mesma forma como em "por favor" e "obrigado", o impacto de um pedido sincero de desculpas é quase mágico. Então não deixe de incluir essas palavras mágicas no seu vocabulário do atendimento.

Quando cometer um erro, é necessário pedir desculpas ao cliente, mas isso, por si só, não basta. *O modo como* você pede desculpas também é extremamente importante. Um pedido sincero de desculpas não segue uma fórmula nem pode ser programado em um computador. Desculpar-se do fundo do coração é mais uma arte do que uma ciência. Dito isso, veja algumas dicas gerais para um sincero pedido de desculpas:

» Reconheça exatamente o que aconteceu. Não generalize no seu pedido de desculpas. É importante que o lado ofendido saiba que você entendeu *as razões* pelas quais ele se irritou. Então faça a sua lição de casa e certifique-se de estar se desculpando pela coisa certa. Descubra os detalhes relevantes e aborde os eventos específicos que irritaram o cliente.

» Assuma a responsabilidade. Analise objetivamente como você — ou a pessoa que reporta a você — contribuiu pessoalmente para o problema e assuma a responsabilidade pela ocorrência.

» Desculpe-se no momento certo. Alguns pedidos de desculpas devem ser feitos o mais rapidamente possível, enquanto outros devem ser postergados. É recomendável esperar, por exemplo, se você precisa de tempo para conduzir alguma investigação sobre o que deu errado. Em algumas situações, dependendo do nível de fúria do cliente, pode ser interessante dar uma ou duas horas ao cliente infeliz — ou um ou dois dias — para ele se acalmar e ser capaz de ouvir o que você tem a dizer.

» Escolha o meio de comunicação certo para a sua mensagem. Também é importante acertar no lugar e no modo como o pedido de desculpas é feito. Em alguns casos — por exemplo, em um longo relacionamento com um cliente valioso —, o pedido de desculpas deve ser feito pessoalmente, ou talvez em um almoço ou jantar (você paga a conta, naturalmente). Para um relacionamento menos pessoal, um telefonema, uma carta, uma mensagem escrita à mão, um e-mail ou até uma mensagem de texto pode bastar. Os principais fatores a serem levados em consideração na escolha da melhor maneira de transmitir o seu pedido de desculpas deve ser a força e o histórico do relacionamento e, é claro, a gravidade dos danos.

» Desculpe-se de maneira breve e inequívoca. Não invente desculpas. Não elabore explicações. Vá direto ao ponto.
» Garanta que isso jamais acontecerá de novo. Você pode não ser capaz de garantir um futuro livre de erros, mas pode garantir que tomará providências para evitar a reincidência daquele erro específico.
» Ofereça uma restituição. Tente oferecer algo de valor — um crédito, um vale presente, frete grátis, um *upgrade* e assim por diante — para minimizar o prejuízo ao cliente.
» Seja sincero. Nada é mais importante do que isso. As pessoas sabem quando você só está recitando uma ladainha de palavras vazias ou dizendo que sente muito só porque se espera que você diga isso. Faça tudo para garantir que o cliente saiba que você está se desculpando do fundo do coração. E se não for o caso? E se você achar que a situação na verdade não justificaria um pedido de desculpas ou que o erro foi do cliente e não seu? Bom, nesse caso, é hora de recorrer ao seu lado ator, porque, se o cliente precisa de um pedido sincero de desculpas, é o seu trabalho convencê-lo de que você realmente sente muito. Nas palavras de um comediante, "A coisa mais importante é a sinceridade. Se você conseguir fingir isso, tem o sucesso nas mãos". Bem, você não vai querer ir tão longe, mas, se tentar se colocar na pele do cliente e reconhecer que ele tem

razão para se irritar, será muito mais fácil se desculpar com sinceridade e humildade.

Se você acha muito difícil pedir desculpas, o meu conselho é: engula o orgulho e supere a dificuldade. Tudo é difícil antes de ficar fácil. Um "me desculpe" sincero é um pequeno investimento e os retornos podem ser enormes.

REGRA 37

Surpreenda-os com algo a mais

Os caixas do supermercado Publix do nosso bairro sempre perguntam:

— Vocês encontraram tudo o que queriam?

Noventa e nove por cento das vezes, a nossa resposta é "Sim". Um dia, Priscilla disse:

— Não, vocês não têm a farinha que eu costumo usar. Quero fazer uma torta de limão.

Ela se contentou com outra marca e foi para casa. Menos de uma hora mais tarde, nossa campainha tocou. Quase caí de costas quando vi um funcionário da Publix trazendo um pacote da farinha preferida de Priscilla. Não sei se ele achou no depósito, em outra loja ou em qualquer outro lugar, mas a questão é que ele fez mais do que o esperado para nos deixar felizes.

Uma ex-colega me contou uma história similar. Ela comprou um lanche para viagem no Chick-fil-A. Quando chegou em casa, descobriu que as batatas fritas não estavam no pacote. Decepcionada, ela ligou para a loja. O gerente se desculpou pelo engano e pediu o endereço dela.

— Imaginei que fosse para me enviar um cupom de batatas fritas grátis — ela me contou. — Mas, meia hora depois, um funcionário da Chick-fil-A bateu à minha porta com um saco enorme de batatas fritas! Eu fiquei pasma! — E acrescentou: — Aquele incidente me transformou em uma cliente fiel desde então.

Hoje ela conta essa história aos novos funcionários da empresa de sua propriedade como um exemplo de como surpreender e encantar um cliente. Você pode achar o que quiser das políticas da Chick-fil-A, mas isso é que é um bom atendimento.

Todos nós adoramos a surpresa de receber algo a mais quando menos esperamos. Tenho certeza de que você se lembra da empolgação de encontrar um prêmio extra numa caixa de cereais ou a emoção de ganhar um presente quando não era um dia especial. E o que dizer da simpática senhora da feira que lhe dá uma maçã a mais? E o frentista do posto de gasolina que lava o seu para-brisa sem você pedir? E a padaria que deixa que você prove um bolinho? Eles não estão só sendo generosos; eles sabem que o custo dessas pequenas surpresas não se compara com a receita que eles recebem dos clientes fiéis. A prática provavelmente é tão antiga quanto o próprio comércio. Você já ouviu falar na expressão "dúzia de padeiro"? Ela foi cunhada centenas de anos atrás, na Idade Média, quando os padeiros acrescentavam um décimo terceiro pão a uma compra de uma dúzia de pães.

Não é preciso ser nenhum gênio para saber que esse tipo de prática funciona. Na verdade, basta ter um cérebro. Em 2011, neurocientistas confirmaram o valor dessa antiga sagacidade quando encontraram evidências de que o nosso cérebro anseia pela empolgação da surpresa. Parece que a região do cérebro chamada núcleo accumbens — também conhecido como o centro do prazer — é mais ativada quando um estímulo prazeroso ocorre inesperadamente do que quando é previsível. Como explica o doutor Gregory Berns, o pesquisador-chefe do estudo de imagiologia cerebral da Emory University, "É agradável quando você ganha um presente no seu aniversário. Mas você vai gostar muito mais se ganhar um presente e não for o seu aniversário". É por isso que o chopp que você ganha sem esperar do barman é mais gostoso do que quando o bar anuncia uma promoção do tipo "tome o primeiro chopp e ganhe o segundo".

Há inúmeras maneiras de dar um toque a mais no atendimento e muitas delas custam pouco ou nada. Você pode passar mais tempo atendendo a um cliente. Pode lhe oferecer um café. Pode fazer uma contribuição para a instituição de caridade preferida dele. Uma vez, o diretor geral de um hotel no qual eu costumava me hospedar me surpreendeu com uma garrafa do meu vinho preferido. Como ele sabia que era o meu preferido? Ele ligou para a minha casa e perguntou à Priscilla.

Durante os meses que levei para escrever este livro, pedi a praticamente todas as pessoas que encontrava para me mandar um e-mail contando histórias sobre uma ocasião em que elas receberam um atendimento espetacular.

Quase toda história que recebi envolveu uma empresa surpreendendo o cliente com algo a mais. Algumas histórias envolveram gestos simples, como o funcionário da RadioShack — uma varejista de eletroeletrônicos e acessórios — que, depois de procurar a bateria que o cliente precisava para um determinado aparelho, se ofereceu para instalar a bateria. Outras foram mais elaboradas, como a proprietária de uma pequena livraria de bairro que, ao perceber que não tinha em estoque o livro que o cliente queria para dar de presente ao filho no Natal, ligou para seu maior concorrente e encomendou um exemplar para o cliente. E também teve a história da atendente que ficou mais do que o necessário ao telefone porque a cliente não podia sair de casa devido a um grave problema médico e estava se sentindo muito sozinha. No dia seguinte, a cliente ficou espantada ao receber "um enorme buquê de lírios e rosas" da empresa, além de um bilhete pessoal desejando uma rápida recuperação e um *upgrade* que dava direito a frete grátis para os pedidos futuros.

A empresa era a Zappos. Ouvi muitas histórias de atendimentos fora de série dessa varejista *on-line* de calçados, que, de acordo com a revista *Businessweek*, apresenta uma "devoção quase fanática ao atendimento ao cliente". Por exemplo, um sujeito seria o padrinho em um casamento e encomendou um par de calçados para a ocasião. A UPS, a empresa encarregada da entrega do produto, se enganou e os sapatos não chegaram a tempo — o cliente já tinha viajado para ir ao casamento. Diante disso, a Zappos enviou outro par de sapatos da noite para o dia para o hotel onde o cliente estava hospedado. Eles não apenas se encarregaram do frete como reembolsaram todo o dinheiro pago por ele.

Com um pouco de imaginação, você também pode encantar os clientes lhes dando algo a mais quando não estiverem esperando. Eles, por sua vez, o surpreenderão voltando antes e com frequência e elogiando o seu atendimento aos conhecidos, amigos e parentes.

REGRA 38

Melhore sempre

Satchel Paige, o lendário arremessador de beisebol, disse em uma ocasião: "Não olhe para trás. Pode ter alguma coisa se aproximando de você". Trata-se de um bom conselho para os negócios. Se você ficar satisfeito demais com as suas realizações do passado, os seus concorrentes se aproximarão rapidamente. Os seus clientes podem adorá-lo hoje, mas será que eles continuarão adorando você amanhã? Não se outra empresa descobrir maneiras de atendê-los melhor enquanto você descansa sobre os seus louros.

As melhores empresas pensam como atletas campeões, grandes artistas e inventores visionários: elas nunca param de buscar maneiras de melhorar. Se você quer que a sua empresa seja famosa pelo atendimento ao cliente, todos os funcionários devem buscar maneiras de aprimorar amanhã o que fazem hoje — e se manter melhorando ainda mais na próxima semana, no próximo mês e no próximo ano. Cada uma das Regras de Atendimento que apresento neste livro visa melhorar o seu atendimento e cada uma delas constitui um processo interminável, não uma ação isolada. Se achar que já chegou ao auge, é só uma questão de tempo antes de você se pegar perguntando "Para onde foram todos os clientes?"

O "melhor" não é um destino, é uma jornada. Nunca se chega ao melhor; ele está sempre no futuro, porque sempre existirá uma maneira ainda melhor de atender aos seus clientes. Então, empenhe-se para se manter avançando nessa direção e nunca olhe para trás. Apesar de estar bem hoje, você pode descobrir que amanhã trará uma nova ideia, um novo procedimento, um novo funcionário, um novo vislumbre — alguma coisa que elevará um pouquinho mais os padrões. Deixe no passado o que você fez ontem, na semana passada e no mês passado. Você está no hoje — o dia que você pode chamar sua equipe para uma reunião dedicada completamente a uma única questão: "Como podemos melhorar amanhã?".

REGRA 39

Não se esforce demais

Aposto que você acabou de ler o título deste capítulo e pensou: "Como assim '*não* se esforce demais'?" Este livro inteiro não foi sobre se esforçar para atender melhor aos clientes? Sim, e é isso o que você deveria fazer. Mas a palavra-chave aqui é "demais". É importante esforçar-se, mas se esforçar *demais* pode ser tão ruim quanto não fazer nenhum esforço. É um pouco como criar os filhos: fazer demais pelos filhos pode ser pior do que fazer de menos.

Pense em como você se sente quando um vendedor insistente o persegue pela loja inteira perguntando repetidamente se você precisa de ajuda, quando tudo o que você quer é ser deixado em paz para fazer suas compras. Ou pense em como é irritante quando um garçom vai à sua mesa a cada cinco minutos para perguntar se está tudo bem e se a sua refeição está satisfatória. Esse comportamento é tão comum que recentemente vi uma tirinha de jornal mostrando um casal em casa, com a mulher segurando o telefone e dizendo ao marido: "É o garçom do restaurante onde comemos hoje. Ele quer saber se ainda estamos bem". Eis uma dica: se o seus clientes precisam reprimir o desejo de gritar "Vá embora!" ou "Nos deixe em paz!", você está se esforçando demais.

Infelizmente, o admirável novo mundo da mídia social tem proporcionado às empresas novas maneiras de errar na mão ao se esforçar demais e acabar repelindo os clientes. Não sei quanto a você, mas me irrito muito quando recebo e-mails de empresas me pedindo para "curti-las" no Facebook. E não gosto quando as empresas lotam minha caixa de entrada com seis e-mails por dia me informando de notícias de empresa, lançamentos de novos produtos e até ofertas especiais. Tudo bem enviar um e-mail ocasional informando uma grande mudança na política da empresa, a inauguração de uma nova loja ou uma grande liquidação, mas qualquer empresa que acha que precisa entrar em contato com você todos os dias está simplesmente se esforçando demais.

Nove em cada dez vezes, o excesso de empenho será um tiro pela culatra. Ser excessivamente solícito e ávido para agradar não só é irritante como também faz com que você pareça falso. Os clientes sentem quando são manipulados e imediatamente levantarão suas defesas. As intenções podem ser as melhores possíveis, mas ninguém gosta de falsidade e a maioria das pessoas é capaz de identificar o fingimento já nas primeiras frases — algumas vezes até antes de você abrir a boca. Ninguém gosta de ser constantemente amolado e você perderá rapidamente os clientes se ficar no pé deles quando eles estão claramente tentando fazer compras em paz ou apreciar um jantar tranquilo com o cônjuge.

Veja bem, nem sempre é fácil para os funcionários saberem quando o cliente quer menos, e não mais, atenção porque a maioria deles é gentil. Eles sorriem e aguentam firme quando sentem que o atendimento é intrusivo demais. A regra de ouro que eu costumava seguir quando trabalhava em restaurantes era: não interrompa os clientes que estão no meio de uma conversa íntima ou intensa e não pergunte se eles estão gostando da refeição antes de eles terem dado pelo menos duas ou três bocadas. Em uma loja de varejo, você pode querer deixar que os clientes decidam por si só quanta atenção querem simplesmente orientando os vendedores a dizer: "Me avise se precisar de ajuda", quando os clientes entrarem na loja.

Isso não significa que você não precisa prestar atenção. Apesar de os clientes raramente reclamarem se você se empenhar demais, eles costumam reclamar se você os ignorar. Dessa forma, treine os seus funcionários a ficarem de olho nos clientes para agirem prontamente quando eles quiserem ajuda. Não é difícil identificar os sinais: eles param de comer e conversar e levantam os olhos; eles se distanciam da mercadoria e olham ao redor. Chamo isso de o olhar "do pescoço esticado pedindo ajuda". Quando os clientes querem chamar a sua atenção, eles esticam o pescoço e giram a cabeça como um periscópio. A regra é: cabeça para baixo significa que eles não precisam de você; cabeça para cima quer dizer que eles querem que você se aproxime para atendê-los.

O que quero dizer com isso é que, se o seu atendimento for verdadeiramente superior, você não *precisa* se empenhar tanto. Pode acreditar no que digo: se você seguir as 39 Regras de Atendimento apresentadas neste livro e fizer a sua parte para se certificar de que todas as pessoas da sua organização as sigam, dar aos seus clientes um excelente atendimento será tão fácil e natural quanto dar amor aos seus filhos.

Para saber mais

Os princípios, estratégias e técnicas que Lee apresenta em seus dois livros são debatidos nas palestras conduzidas por ele pelo mundo todo. Essas palestras se baseiam nos princípios ensinados no mundialmente famoso Disney Institute. As apresentações são sempre customizadas para cada empresa, mas seguem, a seguir, alguns exemplos de suas palestras mais populares:

As regras de atendimento
Aprenda como aplicar as 39 regras essenciais para um atendimento sensacional aos seus clientes, compradores, pacientes, passageiros e convidados.

Você *também* pode criar magia!
Os melhores líderes sabem o que os membros de sua equipe mais querem e como proporcionar isso a eles. Com isso,

eles são recompensados com uma organização saudável, resultados excelentes e — sim — uma experiência mágica para os clientes.

Criando magia: 10 estratégias de liderança desenvolvidas ao longo de sua vida na Disney

Aprenda como aplicar as estratégias ao seu negócio. Na Disney, a magia é criada pelo modo como trabalhamos. Com base no primeiro livro de Lee, *Criando magia*. Palestra disponível em todos os países onde o livro é vendido.

A vida é sua: administração do tempo e da vida

Aprenda a assumir o controle de todas as partes da sua vida por meio desse sistema simples de planejamento e execução das suas responsabilidades. Lee conduziu esta palestra por mais de 30 anos a mais de 100 mil participantes, com um sucesso extraordinário.

Um dia de aprendizado

Lee passará um dia apresentando três poderosas palestras aos líderes da sua organização e melhorando acentuadamente a capacidade deles de atuar como gestores, pais, cidadãos e líderes.

Para mais informações e dados de contato, visite o site de Lee: <www.leecockerell.com>.

Referências

COCKERELL, Lee. *Criando magia*: 10 estratégias de liderança desenvolvidas ao longo de sua vida na Disney. Rio de Janeiro: Sextante, 2009.

COVEY, Stephen R. *Os 7 hábitos das pessoas altamente eficazes*. Rio de Janeiro: BestSeller, 2005.

DENNING, Stephen. *The Leader's guide to radical management*: reinventing the workplace for the 21st century. San Francisco: Jessey-Bass, 2010.

GAWANDE, Atul. *Checklist*: como fazer as coisas benfeitas. Rio de Janeiro: Sextante, 2011.

HART, Christopher W. L. The power of unconditional service guarantees. *Harvard Business Review*, jul. 1988. Disponível em: <http://hbr.org/1988/07/the-power-of-unconditional-service-guarantees/ar/1>. Acesso em: 28 mar. 2013.

PEARCE, Terry. *Leading out loud*: inspiring change through authentic communications. New York: Wiley, 2003.

Agradecimentos

Gostaria de agradecer a:

Minha família, antes de tudo: Priscilla, Daniel, Valerie, Jullian, Margot e Tristan.

Phil Goldberg, por possibilitar que as minhas Regras de Atendimento vissem a luz do dia.

Talia Krohn, por ser a nossa supereditora na Random House. Você é demais!

Roger Scholl, da Random House, por me encorajar a escrever este livro.

Lynn Franklin, por ser um agente literário incrível e um bom amigo.

Todos os meus professores do Hilton, da Marriott e da Disney que me ensinaram as Regras de Atendimento.

Todas as pessoas ao redor do mundo que realmente sabem o que é um bom atendimento e se dedicam a dar tudo de si — especialmente os militares.

Uma observação especial aos meus três netos, Margot, Jullian e Tristan: *Jamais se esqueçam das regras da nossa família e das promessas que vocês fizeram!*